ゾンビ化するアメリカ

時代に逆行する最高裁、州法、そして大統領選

町山智浩

文藝春秋

まえがき　ゾンビ化するアメリカ

2024年のアメリカ大統領選挙は、このままだと、民主党ジョー・バイデンと共和党ドナルド・トランプのリターンマッチになりそうだ。

……いや、なんかもう、ウンザリ。

NBCニュースの2023年4月の世論調査によると、アメリカ人の6割が、「トランプは大統領選に出馬すべきではない」と考えている。共和党員の3割も同じように考えている。

「出馬すべきでない」と考える理由として最も多い（3割）のは「起訴されているから」。

前大統領トランプは91件の刑事犯罪で起訴されているが、それを大きく分けると以下の4つ。

- セックスしたポルノ女優の口止め料を訴訟費用と偽った事業記録偽造罪。
- ホワイトハウスからフロリダの別荘に、国防機密を含む公文書を持ち出し、トイレに隠し、返却しなかった罪。
- 2020年の大統領選で敗北したことを不服として、支持者を煽って連邦議会を襲わせ、選挙結果を覆そうとした陰謀罪。
- 接戦で負けたジョージア州の州務長官に電話で「足りない分の票をなんとかしろ」と脅迫した選挙妨害罪。

……よくもまあ、こんな男を大統領にしたもんだ。

でも、バイデンのほうも決して好かれているわけではない。

同じNBCニュースの世論調査では、アメリカ人の7割は「バイデン大統領は2期目を目指すべきではない」と考えている。民主党員ですら、51%がそう考えている。

「再出馬すべきでない」と答えた人の理由として最も多い（48%）のは「年齢」。ジョー・バイデン大統領は11月に81歳になる。これは歴代大統領史上最高齢だ。

APによる世論調査ではアメリカ人の77%がバイデンはあと4年の任期を務めるには高齢すぎると考えている。民主党支持者ですら、69%がバイデンに再出馬は断念してほしいと答えている。また、CBSテレビの世論調査によると、バイデンが再選されたとして、さらに4年の任期を全うできると考える人はわずか34%だった。

若い頃から「失言マシン」を自称していたバイデンだが、最近は高齢のせいか、かなり悪化している。

今年2月、家族と医療のために有給休暇を取る権利を守る法律の式典で、バイデンは「私の閣僚の半分以上は女性です」と誇らしげに語った後、「閣僚の女性の半分は女性です」と付け足した。まあ、女性の半分は女性だよね。

6月には「プーチンがイラクに攻め込んだことで欧米は力を合わせた」「プーチンはイラク戦争に負けている」と言い間違えた。イラクに攻め込んだのはアメリカ。

9月には失言を連発した。国連の演説では「我々は気候危機を加速しなければならない」と言ってしまった。そんなもん加速するな！

G20サミットでは中国の李強首相と会談した内容について記者会見で「第三世界」という差別語を使ってしまい、言い直そうとしてハチャメチャになり、カリーヌ・ジャン＝ピエール報道官に「ありがとうございました！これで会見を終わります！」と打ち切られてひっこめられた。

トランプは2020年からバイデンを「認知障害」と呼び続けてきた。でも、共和党の次期大統領候補争いで圧倒的な党内支持率でトップを走っているドナルド・トランプからして77歳で、バイデンとたいして変わらないのだ。トランプは「911（ナインイレブン）同時多発テロ」を「711（セブンイレブン）」と言ったこともある。コンビニかよ！

9月15日、トランプは首都ワシントンで開かれたキリスト教保守派の政治イベント「プレイ・ヴォート・スタンド（祈って投票して立ち上がれ）サミット」で、「バイデンが大統領を続けたら第三次世界大戦になる」と演説した。それ、77年前に終わってるよ！

自分も高齢者だし、高齢者を差別するつもりはないが、これは世界最大の軍事力を持つ国のリーダーとして、かなり不安だ。特に民主党は今まで若い大統領を生みだしてきた党だ。ケネディが大統領になったのは43歳、クリントンは46歳、オバマは47歳だった。だから若者たちの投票率は高かった。でも、バイデン対トランプのリターンマッチで投票所に若者は集まるの？

「有権者はバイデン2期目を望んでいない」

「クリントンを大統領にした男」と言われる民主党の選挙戦略家ジェームズ・カーヴィルはニューヨーク・タイムズ紙の取材に対して投票率が伸びない不安を表明した。バイデンの支持率は下がっている。経済の低迷が原因だが、株価が下がっている時に再選される大統領は少ない。

しかし民主党内では、カーヴィルの他に、バイデンに出馬を断念させようとか、予備選で彼に挑もうとする者は今のところ出てきていない。ロバート・ケネディ・ジュニアが名乗りを上げているが、彼は反ワクチン陰謀論に取りつかれたカルト候補なので話にならない。

バイデンが1期目で辞めるのは難しい。ジョンソン大統領を思い出させるからだ。

ジョンソン大統領は、1968年の選挙で再選を目指すことをあきらめた。彼が始めたベトナム戦争介入への反対運動がアメリカ全体で大きなうねりとなり、再選される見込みがなかったからだ。代わりにジョンソン政権の副大統領ヒューバート・ハンフリーが予備選に出たが、ベトナム戦争の継続を掲げるハンフリーに民主党左派は反対し、党は分裂し、選挙では共和党のリチャード・ニクソンが圧勝した。

バイデンが1期で辞めたら、それは政権の失敗という印象を与えるだろうし、彼に予備選で対抗する候補が現れたら、民主党の分裂に見えるだろう。どちらにせよ、それで民主党は多くの票を失うことになる。だから、あと4年生きられる可能性が低くてもバイデンを立て続けざるを得ない。

いっぽう、共和党では既に大統領候補を選ぶための予備選が始まっているが、支持率のダントツはトランプ。9月20日の時点で、55%は今もトランプを支持している。たとえ共和党支持者の3割がトランプを嫌っていても、5割以上はトランピストなのだ。

彼らは「2020年の大統領選挙は不正だった。本当はトランプが勝った」というトランプのたわ言を今も信じている。候補の2番手はフロリダ州のロン・デサンティス州知事だが、支持率はわずか14%。まったく勝負にならない。

共和党内でのトランプ人気が高すぎて、デサンティスをはじめ他の候補は、トランプの批判をすると支持率が下がってしまう。批判しないから、まったく自分をアピールできない。よって支持率も伸びない。こんな情けない予備選も珍しい。

トランプ政権の副大統領だったペンス氏も出馬しているが、議会を襲撃されて、トランプに扇動された暴徒に殺されそうになったのに、真正面からトランプを批判できない。それどころか討論会で「トランプ氏が共和党の候補者に指名されたら彼を応援しますか?」と質問されて、おずおずと手を挙げてたくらいだ。

そもそも2020年の選挙でバイデンが勝ったのは、トランプ政権を終わらせて、まともな民主主義のアメリカを取り戻したいからで、つまりバイデンは大統領に就任した時点で、その役割を終えたともいえる。終わったはずのその2人がなぜか今もアメリカを引きずっている。ゾンビのように。

しかも、ゾンビだから自分がしたことをロクに覚えてない。9月17日、NBCテレビのインタビューで、トランプはフロリダ州でデサンティス知事が妊娠6週間目以降の人工中絶を州法で禁止したことを「恐ろしい過ち」と表現した。さらに、テキサスなどの24州、つまりアメリカの半分の州が州法で一切の中絶を、つまりレイプや近親相姦による妊娠の中絶さえも禁じている事実についても批判した。

今さら何言ってんだ。自分のせいだろ！

1973年、連邦最高裁は人工中絶を合衆国憲法で守られた女性の権利とする判決を下した。それ以来、保守的なキリスト教徒たちは、その最高裁判決を覆すような判事を指名してくれる大統領を求めて、共和党を支持してきた。最高裁判事9人のうち5人以上を中絶反対の判事にするのが彼らの悲願だった。それを実現したのが、ドナルド・トランプだった。

トランプはわずか4年間の就任期間中に3人もの判事を任命した。全員が保守的なカトリックで中絶に反対だった。2022年6月、連邦最高裁は6対3で、中絶の権利は憲法で守らないと判決した。つまり、中絶については各州に任せると。

共和党が州議会を多数支配する保守的な24州では、半世紀前の中絶禁止法がゾンビのようによみがえった。少女がレイプされて妊娠すると、中絶が合法的な州に行って手術するしかない。南部では、いちばん近い合法州まで何百キロも離れている。貧しい少女には不可能だ。だが、それで子どもを産んでも、州は養育費などを援助しない。

これだけじゃない。デサンティスら共和党の州知事たちは、公立学校でLGBTや避妊について教師が「語る」

ことを規制する「親の権利法案」や、人種差別の歴史について教えることを禁じる法案を通した。違反した教師が実際にクビになっている。さらにデサンティスはフロリダ州内の学校や職場で多様性についての研修を禁止する「ストップWOKE法案」に署名した。

ゾンビどころじゃない、時代の逆行。こんなデサンティスが大統領になったらトランプ以上の地獄だよ。2024年の大統領選、どうにも明るい話題がない。

ただ、かすかな希望はある。

実は共和党が議会を多数支配している州でも、世論調査をすると中絶に反対する州民のほうが多い。議会の議員数が民意を反映していないのは、ゲリマンダリング（選挙区の区割り操作）で、共和党が議席数を取りやすくなっているからだ。

なら、州民投票にかければいい。2022年8月、カンザスで議会を通過した中絶禁止法に反対する女性たちが署名を集めて州民投票にかけ、反対多数で施行は阻止された。その動きは他の州にも広がっている。フロリダではデサンティスの中絶禁止法に反対する女性たちがこの夏に署名を89万人分集めた。来年、州民投票にかけられるだろう。

アメリカの民主主義に問題は多いが、人々は民主主義が形だけの魂のないゾンビにならないよう戦い続けている。

日本はどうだろう？

（2023年9月23日）

もくじ

表紙・本文イラスト
澤井健
装丁・本文デザイン　鶴丈二
ＤＴＰ　朝日メディアインターナショナル

民家に車で突っ込んで焼死したハリウッド女優アン・ヘッシュの壮絶な人生

2022年9月8日号

8月5日、ロサンジェルス市マービスタ地区の住宅地の狭い道路を青いミニクーパーが猛スピードで疾走し、民家に突っ込んだ。車は炎上し、1LDKの小さな家は半壊した。消防士は燃える車から運転していた女優アン・ヘッシュ(53歳)を救出した。

炎に包まれた彼女は酸欠で脳死した。生前の遺志通り、移植に提供する臓器を取り出してから、生命維持装置を外された。

1969年生まれのヘッシュは20代終わりの1997年から98年にかけて、ハリウッドで活躍した。『フェイク』(97年)では、マフィアに潜入捜査するジョニー・デップの妻を情感を込めて、ロサンジェルスで火山が爆発するパニック映画『ボルケーノ』（同）ではヒロインの火山学者をバカバカしく、ラブコメ『6デイズ／7ナイツ』（98年）ではハリソン・フォードと無人島に不時着する雑誌編集者を楽しく演じて、彼女は人気女優だった。

同時に、アン・ヘッシュは革命的な女優でもあった。1997年、ヘッシュはコメディアンのエレン・デジェネレスの恋人として2人でハリウッド映画のプレミアに現れた。それは、本当に勇気ある行動だった。その年、エレン・デジェネレスはテレビでレギュラー番組を持つスターとして初めて番組中で「うん、私はゲイだよ」とカミングアウトした。ちなみにエルトン・ジョンもバリー・マニロウもジョディ・フォスターもまだカミングアウトしていなかった時代だ。

しかし、その後、ヘッシュはハリウッドから消えた。いったい何があったのか。

2000年8月、ヘッシュはブラジャーにショートパンツだけの姿でさまよっているところを民家の住人に保護された。駆けつけた保安官に彼女はこう言った。

「私は神で、みんなを宇宙船に乗せて天国に連れて行くんです」

エレン・デジェネレスと破局したことで精神的にダメージを受けたのではと報じられたが、以前から彼女はずっと過酷な人生と戦ってきた。翌年、32歳のヘッシュは自伝『私をクレイジーと呼んで』を出版し、壮絶な過去を告白した。

ヘッシュの両親は田舎の厳格なキリスト教福音派（保守的なキリスト教徒）で、父は教会の聖歌隊の指揮者だった。収入は乏しく、家族はいつも飢えていた。そして、ヘッシュは12歳の頃、父にレイプされ、それが生涯のトラウマになったという。また、その頃、ヘッシュは家族を養うために子役として演技を始める。

ヘッシュが14歳になった1983年、父が死んだ。エイズだった。父は実はゲイであることを家族に隠し、密かに夜はゲイバーなどでゆきずりの男とセックスしていたことがわかった。その3カ月後、当時18歳のヘッシュの兄が猛スピードの車で街路樹に激突して死亡する。事故として処理されたが、ヘッシュは、父の死が原因で兄は自殺したのだという。

その後、母ナンシーは神の教えに反する同性愛を「治療」する宗教セラピストになり、レズビアンとしてマスコミに登場したヘッシュを批判し、母娘の縁を切った。また、父のレイプについてはヘッシュの嘘だと主張している。

ヘッシュの姉のスーザンは、父の二重生活についての本を書いて作家になるが、2006年にガンで亡くなった。彼女の夫も交通事故で死亡している。

さまざまな不幸から逃避するため、ヘッシュは自分をセレスティアという名の4次元の女神だと信じるようになったという。「私は神」と言ったのはそのためだった。

自伝の出版以降、ハリウッドはヘッシュを使わなくなった。彼女は男性と結婚し、2人の子供をもうけたが、この20年間、仕事はインディペンデント系の低予算映画に限られ、忘れられた存在になった。近年、

彼女は酒とドラッグに依存していたといわれ、今回の自動車事故で治療を受けた際も、ヘッシュの血液から麻薬性の薬物が検出された。運転席にはウォッカの瓶があったともいう。

☆ 意味不明なミラーの奇行 ☆

20年前に比べると、アメリカはセクシュアリティやメンタルヘルスに対する理解を深めた。ワーナー・ブラザースは、ノンバイナリー（男でも女でもない）とカミングアウトした俳優、エズラ・ミラー（29歳）をDCコミックスのスーパー・ヒーロー、フラッシュ役に抜擢した。フラッシュが主役の大作も撮影済で来年に公開が控えていた。

ところが、この8月15日、ミラーは「複雑なメンタルヘルスの問題に苦しみ、治療を開始します」と発表した。

ミラーは今年に入ってから次々と問題を起こしていた。3月にハワイのカラオケバーで女性に嫌がらせをして逮捕、その2日後に民家の寝室に侵入し「お前たちを埋めてやる」と脅して訴えられ、さらに1カ月後、通りがかりの女性に椅子を投げつけて怪我をさせて逮捕された。

……何が何だか、いくら報道を読んでも、さっぱりわからない。でも、ミラーの奇行はまだ続く。

彼は6月、ノースダコタ州で先住民スー族の12歳（2016年当時）の少女を「洗脳」したとして両親に訴えられ、マサチューセッツ州で11歳の少女に対する嫌がらせで訴えられた。

……10代の少女に何やってるんだ。しかも全米のあちこちで。

8月、ミラーは自宅のあるヴァーモント州で民家から酒を強奪したと訴えられ、さらに自宅に「保護」していたと主張する25歳の母親と3人の子供が行方不明になったとして、警察が調査を始めている……って、マジでヤバいじゃん。もう、クレイジーって呼んでいい？

公文書持ち出しのトランプ
その信者は
謎のおしっこテロ

2022年9月15日号

8月8日、FBI（連邦捜査局）がフロリダ州マール・ア・ラーゴのドナルド・トランプ前大統領の邸宅を家宅捜索した。目的はトランプがホワイトハウスから持ち出した国家機密書類の押収だった。

公文書を管理するNARA（米国立公文書記録管理局）は、今まで繰り返し返還を求めてきたが、トランプは持ち出した公文書は自分が機密解除したから自分のものだと主張してきた。お前のものはオレのもの、ってジャイアンか！

しかし、FBIが押収した書類のなかには核兵器に関する軍事機密もあると報じられている。そんなものをトランプはなぜ別荘に持ち帰ったのか？

トランプは在任期間の半分近くをフロリダの別荘で過ごしたので、書類を持ち出すことも多かった（どうせ読んじゃいないだろうが）。そのため、ＮＡＲＡは彼の別荘に機密保護用の書類室を作らざるを得なかった。税金でね！

トランプは持ち出した書類を、これから設立される「トランプ図書館」に保管するつもりだと言っている。ロシアのプーチンと親密にしてきた男だから、危なくてしょうがない。

「この家宅捜索は政敵に対する攻撃だ。第三世界か！」

トランプは自分で主宰するＳＮＳ「トゥルース（真実）・ソーシャル」で怒りを爆発させた。つまり民主党政権がＦＢＩにやらせたというのだ。

だが、ＦＢＩは政権の言う通りには動かない。日本とは違う。それはトランプがいちばんよく知っているはずだ。大統領任期中、トランプ政権とロシアとの癒着を捜査していたＦＢＩ長官のコミー氏を解雇したから。そして、コミー氏の代わりに今のＦＢＩ長官レイ氏を指名したのも、機密文書持ち出しの罰を重くしたのもトランプ本人なのだ。

でも、このトランプの言いがかりを、信者たちは信じた。ＦＢＩに対する憎しみがネットにあふれた。一人のトランプ支持者がアサルトライフルで武装してシンシナティのＦＢＩ支局を襲撃しようとし、撃退されて、追われ、トウモロコシ畑で撃ち殺された。トランプに煽られて議会に乱入した連中と同じで、ただただ哀れ。

共和党の政治家たちもトランプのデマに乗って「バイデンの権力乱用だ」「FBIの予算を打ち切れ」と騒いだ。共和党内でのトランプ支持率は8割なので、トランプにゴマすらないと裏切り者扱いされる。特にこの夏は、11月の中間選挙に向けての予備選挙なので、トランプの推薦が必要だ。

予備選の結果、トランプの推薦を受けた候補が圧勝した。勝った候補のうち120人以上が「2020年の大統領選は不正」というトランプのデマを支持しており、議会乱入でトランプの責任を追及した候補は2人しか勝てなかった。共和党はもう完全にトランプ独裁党になった。このへんは自民党が安倍党になったのと似ているかも。

ところが、誰よりも熱狂的にトランプを崇拝していたローラ・ルーマーは下院議員候補争いに落選した。ルーマーが世間の注目を浴びたのは、2017年6月、ニューヨークのシェイクスピア劇『ジュリアス・シーザー』の舞台だった。その芝居では独裁者として暗殺されるシーザーをトランプそっくりのカツラと衣装で表現したので、ルーマーは「トランプに対する暴力よ!」と叫んで乱入して逮捕されたのだ。

2018年には、ソマリア難民から下院議員になったイルハン・オマール（民主党）に対して、ルーマーはツイッター（現・X）で「アメリカ市民権を取るために実の兄と結婚した」などと事実無根の誹謗中傷を繰り返してツイッターを永久追放になった。

☆「おしっこしちゃうわよ!」☆

ルーマーはこれに抗議してツイッターのニューヨーク支社を訪れ、ドアの取手と自分の手首に手錠をかけて座り込みを開始した。ユダヤ系のルーマーは、ナチがユダヤ人に着用を義務付けたダビデの星を胸につけて「ツイッター追放はホロコーストよ!」と叫んだ。ちょっと何言ってるかわからない。

さらに、駆けつけた警官に「これ以上近づくとおしっこしちゃうわよ!」と凄んだが、出なかった。朝から何も飲んでなかったからだそうな。

2019年にルーマーはカリフォルニア州のニューサム知事の公邸に不法侵入して逮捕。メキシコ国境からの不法移民に対するニューサムの寛容な政策への抗議として、ルーマーはソンブレロにポンチョというメキシコ人のコスプレをしていた。それ、差別だよ！

そんなルーマーはもちろんトランプの推薦を受けて、2020年の下院議員選挙に共和党から立候補した。民主党が強い選挙区だったので、彼女は本選で敗れた。

だが、ルーマーみたいなどうかしてる女性候補が別の州では当選した。ジョージア州のマージョリー・テイラー・グリーンは、フロリダの高校での銃乱射事件で生き残った少年を「本当はヤラセでしょ」と追いかけ回した悪質なブロガー。コロラド州のローレン・ボーバートは銃を持ったまま入店できるレストランの経営者。とにかくトランプの推薦もらって銃を振り回してれば議員になれちゃうのが共和党なのだ。もちろん、この2人は2020年の選挙は不正だと主張している。それであんたら当選したくせに！

ルーマーは今年、選挙区を変えて共和党の予備選に出たが、現職のベテラン、ダニエル・ウェブスター議員に惜敗した。記者会見でルーマーは泣きながら叫んだ。

「私は負けを認めない！　なぜなら勝ったから！　この選挙は不正よ！」

そこまでトランプのマネしなくてもいいよ！

『NOPE／ノープ』は映画史から消されたアフリカ系の復讐

2022年9月22日号

『NOPE／ノープ』という映画のタイトルは変だ。

Nopeは「ノープ」というより「ノップ！」と強く口をつぐむように発音する。「絶対に嫌だ！」「無理！」「認めん！」みたいな強い拒絶が「Nope」。この映画は、いったい、何に対する「ノップ！」なのか？

主人公はOJ・ヘイウッド（ダニエル・カルーヤ）という黒人のカウボーイ。彼は父と共にハリウッドの北にある牧場で、ハリウッド映画やテレビに使う馬を提供している。しかし、何者かが牧場の馬を盗んでいるらしい。それは雲の裏に隠れた〝空飛ぶ円盤〟だった！

エイリアンの侵略ものかな？　と思っ

てると、物語は予想もしない方向に展開していく。これはいったい何についての映画なのか？　そこで『ＮＯＰＥ／ノープ』の監督ジョーダン・ピールにインタビューした。彼によれば、これは、映画史と人種についての物語だという。

「だから、１８７８年に撮影された走る馬の連続写真を引用した」

その写真を撮らせたのは、名門私立大学スタンフォードの設立者として知られるリーランド・スタンフォード。スタンフォードは、１８６０年代に初めて西部開拓地に鉄道を敷設したセントラル・パシフィック鉄道の経営者として莫大な財を成した。馬が好きだったスタンフォードは、馬が走る時、４本の脚が同時に地面を離れる瞬間があると考え、１８７２年、その瞬間を写真に撮るため、イギリスの写真家エドワード・マイブリッジを雇った。

コダックが「フィルム」を発明する12年前のことだ。マイブリッジは連続写真を撮るシステムを作るのに6年かかった（その間に妻の不倫相手を射殺して裁判で無罪を勝ち取った）。マイブリッジは最終的に12台のカメラを並べて、その前を馬が通過する約2秒間を連続写真に収め、スタンフォードの推論の正しさを証明した。

その写真はゾートロープという覗きからくり（パラパラマンガみたいなもの）に写された。それを見たトーマス・エジソンは映画を発明した。だから、マイブリッジの「走る馬」は映画の元祖といわれている。「その馬に乗っている騎手は黒人なんだ」自らもアフリカ系であるピール監督は言う。「でも、彼が何者なのか一切の記録は残っていない。映画の歴史から消されてしまった。僕は『NOPE／ノープ』で、それを取り戻したかった。そこで主人公のOJたちヘイウッド一族をマイブリッジの写真で馬に乗っていた黒人の子孫という設定にした」

つまり、この映画は白人だけの映画史に対する「ノップ！」なのだ。

ヘイウッドの牧場の隣には西部の町を模したテーマパークがある。それを経営しているのは90年代のテレビ西部劇に出演していた元子役のジュープ。韓国系のスティーヴン・ユァンが演じる。

「彼もカウボーイだ。アジア系や黒人は実際に開拓時代の西部に大勢いたにもかかわらず、ハリウッドの西部劇にはほとんど出てこない。西部の歴史は神話化されていくうちに白人だけのものにされてしまった」

スタンフォードは鉄道敷設のため、中国から1万2000人の労働者を移民させたが、州知事になるとアジア系移民の規制を訴えた。南北戦争の後、奴隷から解放された黒人も大量に西部に入植した。その事実を描いた西部劇は『ブラック・ライダー』（72年）くらいだ。

「『ブラック・ライダー』は黒人俳優シドニー・ポワチエが監督した。僕がそのポスターをヘイウッド家の壁に貼ったのは、OJの父がスタントマンとして出演していたから。それはマイブリッジの写真と同じくフィクションだけど、僕はそうやって『NOPE／ノープ』で神話を再構築したかった」

☆ 見世物産業の象徴 ☆

元子役のジュープも独自の神話を作り上げようとする。彼は西部劇ドラマの後、チンパンジーと暮らす一家のコメディに出演したが、本番中にチンパンジーが暴れて出演者全員を死傷させた。ジュープ以外。

「奇跡的に無傷で生き残ったジュープは自分が選ばれた者だと信じた。そして空飛ぶ円盤を手懐けて見世物にできると思い込んだ。それは間違いだったけどね」

空飛ぶ円盤は『未知との遭遇』のような異星人の乗り物ではなく、『ジョーズ』の鮫のような、巨大な人食い生物だった。それはジュープたちを食い、噛み砕き、吐き捨てる。映画やテレビが、子役やスタントマンや動物タレントを使い捨てるように。

「あのモンスターは見世物産業の象徴だよ」

そのモンスターにヘイウッド一家は立ち向かう。といってもモンスターを倒そうとするのではなく、映画に撮ろうとする。とにかく、これは映画についての映画なのだ。

モンスター撮影のためにヘイウッド一家は猛獣撮影のベテラン・カメラマンを雇う。彼は、この映画の撮影監督ホイテ・ヴァン・ホイテマをモデルにしたという。ホイテマはクリストファー・ノーラン監督の『TENET テネット』などで、巨大なIMAXカメラをかついでアクション・シーンを撮影した職人だ。

「この映画はホイテマ無しにはありえなかった。彼はこの映画のために、赤外線フィルムを使って昼間の風景を撮って夜のシーンに使うという技術を開発してくれた」

『NOPE／ノープ』はIMAXで撮影された世界初のSFホラー西部劇になった。やった、映画史を変えたね！

女性やゲイの権利を潰す最高裁判事の黒幕はカトリックの騎士!

2022年9月29日号

今年6月、アメリカの最高裁が、「人工中絶は女性の権利として憲法に守られる」という1973年の最高裁判決を覆した。これで中絶の是非が各州に委ねられたので、テキサスなど南部や中西部の州で中絶が禁止になった。たとえそれがレイプによる妊娠でもだ。

最高裁の9人の判事のうち6人が中絶の権利を守らないと決めた。その6人の最年長のクラレンス・トーマス判事は「次は同性婚、避妊、同性愛の権利を標的にする」と宣言した。

この6人の判事を任命したのは共和党の大統領。そして6人ともカトリックである。

だが、カトリックはアメリカの全人口

の22％しかいない。それが最高裁判事の7割を占めるなんて。

この異常な事態は、実はレナード・レオという一人の男の仕業だった。彼こそ、カトリックによる最高裁乗っ取りの黒幕なのだ。

レナード・レオは1965年生まれ。6歳の頃、父を亡くしたが、祖父がアイビー・ファッションの老舗ブルックスブラザーズの副社長だったので裕福に育ち、学校でのあだ名はマネーバッグ（現金袋）だった。

1991年、コーネル大学の法学院で、レオは結成されて10年も経たない法学生団体「フェデラリスト協会（ソサエティ）」に加入した。

フェデラリスト協会は、当時のリベラルな最高裁に反感を持つ学生たちの団体として始まった。南北戦争以降、南部各州には黒人の投票権を奪い、人種を隔離する州法があったが、それらは1960年代半ばに連邦最高裁から違憲とされた。中絶を禁止する州法も前述のように違憲とされた。それを州の自治権を踏みにじる連邦政府の越権行為だと考える法学生たちが、大学の枠を越えてフェデラリスト協会に結集した。

でも、「フェデラリスト（連邦主義者）」とは、各州は連邦政府の下で統治されるという国家システムを求める人のこと。各州に強い自治権を持たせて、連邦政府はできるだけ介入すべきでない、と考える彼らは、アンチ・フェデラリストだ。

この詐欺的名前の法学生団体は、連邦控訴裁判所判事のアントニン・スカリアを講師に招いた。スカリ

アはすぐにレーガン大統領から最高裁判事に任命され、最高裁を保守化させていく。レナード・レオは同じイタリア系で保守的なカトリックのスカリアを生涯の師としている。

1991年、ブッシュ（父）大統領が最高裁判事にクラレンス・トーマスを指名した。彼もフェデラリスト協会でカトリック。既に同協会は単なる学生会ではなく、多くの現役法曹を抱える保守法律家の巨大ネットワークになっていた。その副会長になったレオはトーマスの書記官として最高裁に入り込んだ。

2004年の大統領選挙で、レオはブッシュ（子）陣営のカトリック信者対策の顧問になった。2005年にブッシュ（子）が最高裁判事に、協会と関係がない福音派キリスト教徒を指名すると、レオは猛反対して彼女を辞退させ、代わりに自分が推す人物をブッシュ（子）に押し付けた。

２０１６年2月、スカリア判事が急死。オバマ大統領が後任を指名したが、その承認審議を共和党上院が拒否した。その裏にいたのもレオだった。その年の11月の大統領選挙でトランプが当選するまで、判事の任命を阻止しろと上院に提案したのだ。

レオは上院議員を動かすだけのマネーバッグを持っていた。ワシントン・ポスト紙によると２０１４年から２０１７年にかけてレオは2億５０００万ドルもの寄付を受けている。同紙によれば、資金源はトランプのパトロンでもあるヘッジファンドの大物ロバート・マーサーだという。

☆「普通の」カトリックではない☆

トランプは大統領に就任し、4年間で3人の判事が任命された。レオが作成した候補者リストからの指名なので、3人ともフェデラリスト協会でカトリック。そのうちブレット・カヴァノー判事はレオの長年の友人だった。

こうして最高裁判事の席9のうち6がレオの手に落ちた。しかし、なぜカトリック？

中絶の権利を否定した6人の判事は、実は「普通の」カトリックではない。ＰＥＷリサーチセンターの２０２２年5月調査によると、全米のカトリック教徒のうち56％は、中絶を女性の権利だと考えている。

絶対に禁止すべきと考える伝統派はわずか10％しかいない。彼らは、そんな少数派なのだ。

ローマン・カトリックは、中絶や同性愛に理解を示す進歩派とそれを許さない伝統派との間で対立が続いてきた。特に2013年に就任したフランシスコ教皇は進歩派で、「弱い人、貧しい人のための教会」を提唱し、「難民を受け入れなさい」と説き、「中絶した女性も、同性愛者も神は愛します」と語り、伝統派を激怒させている。

伝統派のトップはレイモンド・レオ・バーク枢機卿というアメリカ人で、マルタ騎士団の守護者だ。マルタ騎士団とは中世に結成されたカトリックを異教から守るための修道僧の戦士団。まあ、ジェダイの騎士みたいなものだが、現在も世界に1万3000人のマルタ騎士団がいる。そして、レナード・レオもその一人だ。

つまり、アメリカで起こったのは、カトリック伝統派という極めて少数の先鋭的なセクトがアメリカの司法を支配するという異常事態なのだ。信者数わずか10万人の統一教会が日本の政治を動かしていたように。

アメリカを中世のような宗教国家にしたいと考える大金持ちはマーサーの他にもいたらしい。ニューヨーク・タイムズ紙によると、この8月、レオは、シカゴの大富豪バー・セイドから16億ドルの寄付を受けた。2億5000万ドルの資金で最高裁を制覇したレオが、その6倍ものマネーバッグでいったい何をするのか？

「うちの子は爬虫類!」陰謀論にハマったトランプ信者たちが各地で大暴走

2022年10月6日号

9月11日の朝、ミシガン州デトロイト郊外の警察に通報があった。若い女性の声だった。

「父に撃たれました」

警察が現場に駆けつけると、散弾銃を持った男が撃ってきた。警官は応戦し、男を射殺。

家の中では、警察に通報した女性で、銃撃犯イゴール・ラニス(53歳)の娘レイチェル(25歳)が、背中を散弾銃で撃たれていた。妻ティナは拳銃で4発も撃たれて死んでいた。ラニス一家の飼い犬も射殺されていた。

ウォルドレイク市は人口の86%が白人。中流市民が住む安全な住宅地で、地元警察も銃撃戦は初めてだった。妻と娘を撃ち、警官を銃撃したラニスに犯罪歴はなく、近所の評判も悪くなかった。

その夜、ラニス家の次女レベッカ（21歳）がSNSに投稿した。彼女はたまたま友達の家に泊まりに行っていたおかげで難を逃れた。

「うちの父を壊したのはインターネットです。

わたしが子どもの頃、両親は本当に愛にあふれた、幸せな家族でした。私はいつも両親と特別な絆を感じていました。

でも、2020年の大統領選挙でトランプが負けてから、父はQアノンの深いウサギの巣穴を転げ落ちていきました。父はネットにあふれる陰謀論を信じていきました。選挙は盗まれたというトランプの言い分や、ワクチン陰謀論や……」

Qアノンとは、アメリカはディープ・ステート（DS）という闇の国家に支配されているとする陰謀論、もしくはそれを信じる人々のこと。Qアノンによると、DSはグローバルなネットワークで、メンバーはジョージ・ソロスやビル・ゲイツなどの国際的な資本家、アメリカの国家官僚、民主党、リベラルなメディア、ハリウッドのセレブ、それに中国だという。彼らは幼児の生き血をすする悪魔崇拝者だとQアノンは言う。そして、DSから人類を守るために神から選ばれた救世主がドナルド・トランプだと信じている。

2020年の大統領選でトランプが負けると、トランプは負けを認めず、票が盗まれたと訴えた。トランプの要望で何度も票の数え直しが行われたが、何の不正も見つからなかった。それでもトランプ支持者はトランプを信じ続けている。

コロナについても、Qアノンはこんな風に信じていた。——コロナはDSによるデッチ上げ、または生物兵器だ。そしてワクチンの中にはビル・ゲイツが開発したマイクロチップが混入していて、それを注射された人を内部から操るんだ——。

「父はいつも、私たち家族の安全と健康を守ろうとしていました」

父に殺されずにすんだレベッカは書いている。

「でも、父の陰謀論への傾倒はどんどん悪化し、私たちにキレることも何度かありました。暴力はふるいませんでしたが」

レベッカは最後に家族を滅ぼした者たちへの怒りをあらわにする。

「ファックしやがれ、Qアノン！　おまえたちはFBIに逮捕されて、牢獄で腐り果てて地獄に落ちろ。多くの人々を滅ぼした罪で」

レベッカが投稿したSNSは、Redditの「Qアノンの被害者たち」というコミュニティだ。そこには、トランプの勝利を信じて壊れていった人々の親族や友人たちの嘆きが寄せられている。

トランプ自身、Qアノンの陰謀論の拡散に加担している。2020年7月、トランプはステラ・イマニュエルという医師のビデオをリツイートした。そこでイマニュエルは「コロナにはワクチンではなく、

ヒドロキシクロロキンが効く」という間違いを語っている。それ以上に問題なのは、彼女は「アメリカ政府は人間のフリをしたレプティリアン（ヒト型爬虫類）に支配されている」と主張していることだ。

☆ ヒト型爬虫類の存在を信じて ☆

「人間の中に爬虫類が混じっている」という陰謀論はトランプ支持者やQアノンのSNSコミュニティで広がっている。

2019年1月にシアトルに住むバッキー・ウルフ（26歳）が、自分の弟を剣で斬り殺した。ウルフはトランプを支持する過激派グループ、プラウド・ボーイズのメンバーだったが、レプティリアン陰謀論を信じるようになり、それを批判する弟をトカゲ人間だと思って殺した。

2021年8月、カリフォルニア州のプロ・サーファー、マシュー・テイラー・コールマン（40歳）が、自分の長男カレオ（2歳）と長女ロキシー（10カ月）を車に乗せてメキシコに行き、2人を水中銃の銛で刺し殺し、アメリカ国境で逮捕された。コールマンは、大統領選挙以降、Qアノンの陰謀論にはまり、咎める妻をトカゲ人間だと信じ、その遺伝子を継ぐ子どもたちを殺したと証言した。

2022年8月11日、オハイオ州のFBI支部を、自動小銃と防弾チョッキで武装した男が襲撃しようとして、逆に射殺された。彼はリッキー・シファー（42歳）という電気工事業者で、SNSに、FBIが、8月8日にトランプのフロリダの別荘を強制捜査して、トランプがホワイトハウスから無断で持ち出した機密公文書を押収したことへの怒りを表明していた。

2022年9月10日、ペンシルヴェニア州のアイスクリーム店、デイリー・クイーンに虹色のかつらをかぶって拳銃を持った男が乱入した。拳銃3丁と弾丸62発を所持していたので警察に逮捕されたジャン・ストウヴィー（61歳）は、「すべての民主党員とリベラルを殺して、トランプをアメリカの大統領キングに戻す」と警察に語った。

「大統領キング」？　それはトランプ支持者独特の言い回し。つまり彼らはトランプを「王様」だと思ってるわけ。……はー。でもさ、キングだからってデイリー・クイーンに女王様はいないよ！

難民を他州に送りつけディズニーに嫌がらせ フロリダ州知事デサンティス

2022年10月13日号

マサチューセッツ州の沖に浮かぶマーサズ・ヴィニヤード島は、東海岸の富裕層のための高級リゾート地で、クリントンやオバマ夫妻の別荘があることでも知られる。船や飛行機でしか行けないので、ホームレスや貧困層も少ない。

そんな金持ちのパラダイスに、9月14日、謎のチャーター機が着陸し、南米からの難民50人を降ろして飛び去った。

彼らは主にベネズエラからメキシコを通って国境を越えてテキサスに不法入国した。

同じ頃、やはりベネズエラの難民50人がバスで首都ワシントンに運ばれ、カマラ・ハリス副大統領の家の前の路上に放置された。そのなかには生後1カ月の赤た。

さらに別の飛行機が難民たちを乗せ、バイデン大統領の地元デラウェア州に向けて飛び立つと報じられた。

ん坊もいた。

難民たちは「仕事と住む場所を提供します」と嘘っぱちが書かれたパンフレットを持っていた。

この「難民廃棄」を行ったのは、テキサスのグレッグ・アボット州知事とフロリダのロン・デサンティス州知事だった。2人はこの11月の中間選挙で再選を狙っており、難民廃棄はそのためのパブリシティ。到着先にはあらかじめ保守系テレビ局FOXニュースの撮影班を手配していた。

デサンティスは去年、「南部の州が不法移民に手を焼いているのに、北部ではサンクチュアリ（不法移民を逮捕しない聖域）政策などを打ち出した。彼らの偽善を暴くため、難民を送りつけてやれ」と発言して物議を醸したが、それを実行したのだ。

デサンティスとアボットは「ミニ・トランプ」と呼ばれるほどデタラメな政治で論争を呼び続ける州知事だ。フロリダでは2018年2月に高校での乱射で17人、テキサスでは2022年5月に小学校での乱射で21人が亡くなったのに、2人とも銃を規制するどころか、どんどん緩めている。それどころか、フロリダのメジャー・リーグ・チーム「タンパベイ・レイズ」が公式ツイッターで「学校を安全にする銃規制法を実現するために5万ドルを寄付する」と表明したら、デサンティスはレイズにフロリダが補助する3500万ドルの承認を拒否した。

デサンティスは子どもじみた嫌がらせまでトランプそっくり。ディズニー・ワールドにもヒドい嫌がらせをした。

デサンティスは2022年3月に「ゲイと言わないで法案（正式名称「教育における親権法」）」に署名した。これは公立学校では小学校3年までの生徒に同性愛やトランスジェンダーについて教師が口にするのを禁止する法案。

さらにデサンティスは「ストップWOKE法」なるものにも署名した。WOKE（ウォク）はWAKE（目覚めた）の黒人訛りで「差別への怒りに目覚めた」という意味。今までアメリカの学校や職場では、人種や女性、LGBT（レズビアンやゲイ、バイセクシュアル、トランスジェンダー）差別を是正するための教育が行われてきたが、それを禁止するのがこの「ストップＷＯＫＥ（目覚めさせるな）法」。白人への憎しみを拡大するからだという。

アニメを通じて多様性を訴えているディズニーの職員は怒り、ＣＥＯのボブ・チャペックに州知事に抗議するよう求めた。ただの湿地帯だったオーランドにディズニー・ワールドを築き、年間５８００万人もの観光客と、７億ドルもの税収をもたらしてきた企業の抗議なら効果があるだろうと。

逆効果だった。批判されたデサンティスはディズニーが長年受けてきた税制の優遇を撤廃、水道や電力などの管理権を剝奪した。この損害は莫大で、ディズニーの株価が暴落した。

さらにデサンティスはディズニーのような「意識の高い」企業への嫌がらせとしてＥＳＧ排除を決めた。ＥＳＧとはエンバイロメント（環境）、ソーシャル（社会）、ガバナンス（企業統治）の略で、CO_2を削減するための技術開発や、貧困問題を解決するための改革、労働者の待遇や多様性改善、汚職防止などを指す。こうしたＥＳＧに熱心な企業を、デサンティスは「イデオロギー企業」と呼び、フロリダ州民の年金基金と災害基金（合計２４００億ドル）運営のための投資先から除外すると宣言した。

☆ファシスト的であるほど人気に☆

これでは暴動が起こるのでは？　すでにデサンティスは「反暴動法」にも署名している。「３人以上の暴力的な政治集会を暴動とみなす」という州法で、「暴力的」の解釈しだいでどんなデモにも適用できる。

ファシスト的な政策を取れば取るほど、デサンティスの支持率は共和党のなかで上がり、トランプに迫る勢いで、2024年の大統領選挙の有力候補ともいわれている。

特にフロリダに150万人もいるキューバ系は、デサンティスの極右政策を支持している。彼らは社会主義が嫌でキューバから逃げてきた人々だから。最近のフロリダでは、社会主義化したベネズエラからの移民も増えているし……。

ベネズエラ？

デサンティスがマーサズ・ヴィニヤード島に送ったのはベネズエラ人だった。社会主義から逃げてきた政治難民を粗大ゴミみたいに廃棄するなんて。フロリダのベネズエラ人は怒った。共感してキューバ人も怒った。しかも、難民はフロリダに不法入国したわけではなく、テキサスに入った。それをデサンティスはフロリダの税金を1200万ドルも使って飛行機で移送した。フロリダ州民に何の利益があるの？　納税者も怒った。

「不法移民の元を絶とうとしたんだ」とデサンティスは言い訳したが、かえって反感を買い、あわててデラウェア行きの難民輸送機を止めた。

FOXニュースは難民到着をテレビで報じたが、デサンティスの期待に反して、住民たちが突然の難民たちを嫌がってリベラルの偽善が暴かれることはなかった。代わりに放送されたのは、人々が難民たちを抱きしめ、食事や衣類を提供して暖かく迎え入れる光景だった。

イタリアの極右首相とトランプの参謀の怪しい関係

2022年10月20日号

9月25日、イタリアの総選挙で右派連合が勝利した。最も多くの票（25％）を獲得した政党ＦｄＩ（イタリアの同胞）の党首、ジョルジャ・メローニ（45歳）が首相になる。イタリアで史上初の女性首相だ。

メローニはスーツにハイヒールよりもジーンズにスニーカーを好み、トールキンの『指輪物語』を生涯の愛読書に挙げる。気さくな女性に見えるが、少女の頃から筋金入りの「極右」だった。15歳で、ファシスト系の「イタリア社会運動」の青年部に参加し、19歳でテレビのインタビューでファシストのムッソリーニを「最高の政治家」と賞賛した。現在、メローニはファシズムを否定しているが、反移民、反イスラム、反LGBTの過激な発言は続いている。

メローニはシングルマザーの娘で、彼女自身がシングルマザーだが、「伝統的な家族制度を守る」と言って、同性婚に反対し、同性カップルの養子縁組にも反対。女性の中絶にも反対している。

「私はジョルジャ、私は女で、私は母で、私はイタリア人で、私はクリスチャン」

メローニが演説で言った言葉は彼女の著書のタイトルにもなっているが、アイデンティティ政治そのもの。メローニは、政策ではなくアイデンティティで票を集める。ヘテロで白人のキリスト教徒の票を。LGBTやアフリカ・中東系の移民、イスラム教徒に反感を持つ人々の票を。そういうやり方を「右翼ポピュリズム」と呼ぶ。

右翼ポピュリズムでアメリカ大統領の座をつかんだドナルド・トランプに、メローニは大きな影響を受けている。メローニは、地中海を渡ってアフリカや中東からやって来る不法移民の船を阻止するために海軍を使って海上を封鎖すべきだ、と言っていたが、それはトランプが「メキシコとの国境に壁を作れ」と言ってたのとそっくりだし、メローニのスローガン「イタリアを再び良くする準備がある」も、トランプのスローガン「アメリカを再びグレートに」と似ている。

アメリカのトランプ支持者もジョルジャ・メローニが大好きだ。彼女は今年2月、フロリダで開かれた共和党右派のイベント「CPAC」にも招かれている。

「リベラルどもは私たちに、何がPC（政治的に正しい）か教え込もうとします。まるで猿扱いです。私たちは猿ではありません！」

メローニの演説は喝采を浴びた。

メローニとアメリカを結び付けたのはトランプの首席戦略官だったスティーヴ・バノンだ。彼は2017年1月にトランプが就任するとすぐにイスラム諸国からのアメリカへの入国を禁止にする大統領令を施行させたが、大混乱をもたらし、早くも8月に解任された。その後、バノンは世間から行方をくらましていたが、実は世界各地を飛び回って、各国の右翼ポピュリズム政治家とのコネクションを作っていた（その一環で日本を訪れて自民党部会で講演している）。

特にヨーロッパでバノンは「ザ・ムーブメント（運動）」と銘打って、イタリアのジョルジャ・メローニはもちろん、フランスのル・ペンやハンガリーのオルバン首相など右翼ポピュリズムのリーダーを同盟させてEUに対抗させようとした。

「ユダヤとクリスチャンの西欧を守るんだ！」

会合でバノンは叫んだ。それは神から授かった使命だった。

使命に目覚めたのは1996年。投資家から映画プロデューサーになったバノンは政治学者サミュエル・ハンチントン著『文明の衝突』を読んだ。そこには「冷戦はイデオロギーの戦争だったが、これからは文明圏どうしの戦争になる」と書かれていた。つまり、ユダヤ&キリスト教文明圏と、イスラム、アジア、ラテンアメリカなどの文明圏の存亡をかけた世界戦争になると。

☆　バノンと右翼の復権　☆

信心深いカトリックだったバノンは恐怖におののき、キリスト教を守るため、政治プロパガンダ活動に身を投じ、トランプと出会い、選挙アドバイザーとして彼に右翼ポピュリズムを強調させた。

バノンはイタリアで、ローマン・カトリック内のフランシスコ教皇に敵対する勢力を組織化した。フランシスコ教皇は「貧しき者、弱き者のための教会」を目指し、難民を受け入れ、同性愛者や中絶した女性も神に愛されると語ったので、伝統派から憎まれていた。反フランシスコ派の筆頭はレイモンド・レオ・バーク枢機卿というアメリカ人。バノンはバークと親しくして、イタリアの中世に建てられた修道院を借り、そこにバークを迎え、「キリスト教の戦士」養成所にしようとした。テンプル騎士団のようなものを目指していたらしい。

だが、イタリア政府（中道のマリオ・ドラギ政権）はバノンの「養成所」を認可しなかった。「ザ・ムーブメント」も分解した。ル・ペンはマクロンに敗れ、トランプもバイデンに敗れた。EUさえ拒否する自国第一の愛国者たちがバノンのようなアメリカ人の下に集うはずがなかった。

だが、イタリアではメローニが勝った。スウェーデンでも反移民を掲げた極右政党を含む右派勢力が最大議席を獲得した。アメリカではこの11月の中間選挙で共和党右派候補が議席を増やすと予想されている。世界的なインフレと景気停滞、難民の増加で、人々の不安と不満は高まり、憎しみは弱者とそれを守るリベラルに向けられ、右翼ポピュリズムが拡大する。２０２４年の選挙でバイデンから大統領の座を奪うのは、復活トランプか、トランプ以上に差別的で人気のフロリダ州知事ロン・デサンティスか。

ちなみにスティーヴ・バノンは安倍晋三元総理を「Trump before Trump（トランプ以前のトランプ）」と呼んで評価していた。つまり、トランプに先駆けた右翼ポピュリスト政治家として。すごいね！（死んだ目で）

フロリダで共和党が強いのはキューバ移民をケネディが裏切ったから

2022年10月27日号

11月のアメリカ中間選挙の取材でフロリダ州のマイアミに行った。民主党員の決起集会が行われると聞いて、教えられた住所に来てみると、Gaythering（ゲイザリング）という看板。ギャザリングGathering（集まり）とはちょっと綴りが違う。入ってみると、筋肉モリモリな裸の殿方たちの写真がそこらじゅうに。ここはゲイ専用ホテルだったのだ。

ホテルの1階にある真っ赤なインテリアのゲイバーで集会が開かれた。

「我々、ＬＧＢＴコミュニティは共和党の攻撃を受けています！」

フロリダ州のロン・デサンティス州知事（共和党）は、ＬＧＢＴに対して厳しい政策を続けてきた。たとえば、トランスジェンダー女性がアマチュアの女子スポーツ大会に出場することを禁じる州法などに署名してきた。

なかでも問題になったのは「教育における親権法」という州法だ。公立学校で小学校3年までは同性愛や性同一性について教師が語ることを禁止する。これで図書館からも同性愛を思わせる本が撤去されている。LGBTの権利を守る人々は、この州法を「ゲイと言わないで法」と呼んで批難する。

「我々の存在そのものを抹殺する『ゲイと言わないで法』粉砕!」

その日の集会ではそんな叫びが何度も聞こえた。

ギャラップの調査データによると、フロリダ州の人口の約4・6%、つまり100万人がLGBTだと自認しているという。民主党は今回の選挙で、LGBTの人々を投票に動員して、デサンティス州知事の再選を阻もうとしている。

ただ、デサンティスの支持は盤石だ。USAトゥデイ紙の調査によると、フロリダ州の有権者の52%が、デサンティスのLGBT政策を支持。それどころか共和党支持者には大好評で、支持率は8割を超え、2年後の大統領選の最有力候補として、ドナルド・トランプの人気を超える勢いだ。

フロリダは政治的に一筋縄ではいかない州だ。2100万人の人口のうち、65歳以上の高齢者は450万人を超える。一年中温暖な気候なので、引退後に引っ越してくる人が多い。彼らは裕福で、政治的には保守的だ。その一方でフロリダはマリンリゾートの土地だから、LGBTだけじゃなく、自由な生き方を

求めるリベラルな若い世代も多い。

さらにカリブ海に近いので、州民の27%はヒスパニック(中南米系)。ヒスパニックはたいてい、マイノリティの権利を守る民主党を支持する。ところがフロリダのヒスパニックの26%、150万人以上がキューバ系で、彼らは圧倒的に共和党支持なのだ。なぜ?

「民主党に裏切られたからです」

キューバ系の共和党員アリーナ・ガルシアさんはそう言う。彼女は今度の中間選挙に共和党から州議会の下院議員に立候補した。週末になるとガルシアさんは息子や娘や孫たちと一緒に有権者の家を一軒一軒回り、ドアを叩き、投票を呼びかける。それに同行しながら話を聞いてみた。

「私はキューバで生まれましたが、1958年に共産革命が起こり、私たち一家はカストロ政権に何もかも奪われて、マイアミに渡ってきました」

マイアミに渡った数万のキューバ難民は、すぐに母国に帰れると信じていた。

当時の大統領アイゼンハワー（共和党）はカストロ政権打倒を計画した。1960年の選挙で民主党のジョン・F・ケネディが大統領になったが、作戦は引き継がれた。

1960年5月、キューバ上陸部隊にマイアミのキューバからの亡命者約1400人が志願した。CIAは彼らをグアテマラに連れて行って軍事訓練した。そして、1961年4月17日、彼らは2506旅団と名付けられ、キューバのピッグス湾の海岸に上陸した。

しかし、2506旅団を待ち構えていたのは2万人のカストロ政府軍だった。ジェット戦闘機やT34戦車までそろえて。というのも、グアテマラでの訓練が地元の新聞に載っていたからだ。

☆ 慰霊碑に灯る永遠の炎 ☆

戦力の差は圧倒的だった。2506旅団はアメリカ空軍の支援を求めた。しかし、ケネディ大統領は助けを出さなかった。キューバとの直接の戦闘は第三次世界大戦の引き金になるかもしれないからだ。2506旅団は見捨てられ、100人以上が戦死し、残りは捕らえられた。

これで、亡命したキューバ人はアメリカに永住するしかなくなった。マイアミのリトル・ハバナには2506旅団の慰霊碑が建てられ、碑のてっぺんには永遠に消えない炎が灯されている。

「だからキューバ系アメリカ人は民主党を許しません。この歴史を決して忘れないよう、子どもたちに語り継いでいるんです」

ガルシアさんは言う。確かにかつてキューバ系の政治家はマルコ・ルビオやテッド・クルーズ両上院議員のように共和党ばかりだった。だが、キューバ系アメリカ人ももう3世代目なので、共和党支持率は58%まで下がっている。

特に先月、デサンティス州知事がベネズエラからの不法移民50人を飛行機に乗せて、マサチューセッツ州に「捨てた」事件は、キューバ系も怒らせた。ベネズエラの難民もキューバ系と同じく社会主義政権から逃げてきたからだ。

カストロ政権はゲイの人々を迫害した。しかし、9月26日、キューバ政府は同性婚を合法化させた。アメリカの共和党に選ばれた最高裁判事が同性婚を再び禁じようとしているのに。

ピッグス湾慰霊碑のすぐ近くにはマイアミ出身のラッパー、ピットブルの壁画がある。複雑な歴史を知らない観光客には、こっちのほうが人気だそうだ。

トランプが住むフロリダの超高級住宅地を開発した大富豪はなぜ呪われたのか

2022年11月3日号

ドナルド・トランプのフロリダの別荘マール・ア・ラーゴを見てきた。マイアミから車で1時間ほど北上したパーム・ビーチにある豪邸で、スペイン語で「海から湖まで」の名の通り、美しい大西洋と入江に挟まれた5800平方メートルの敷地。ゴルフコースもあって、会員制の超高級クラブになっている。入会金は20万ドル（約3000万円）で年会費1万4000ドル。宿泊もできるが、1泊2000ドルだ。

マール・ア・ラーゴは1927年に、実業家のマージョリー・メリーウェザー・ポストによって建設された。彼女は食品コングロマリット「ゼネラル・フーズ」の社主（コーヒーのマックスウェル・ハウスなどが傘下)。ベッドルームだけで58室もある、城のような邸宅は、建設費用だけで現在の金額にして1億ドルという。1970年代に連邦政府に寄贈され、国賓をもてなす「南のホワイトハウス」として一時使われていた。

自分は、マール・ア・ラーゴに来る前は、屋敷の周囲にトランプ信者が集まっているのだと思っていた。ところが、周辺はすべて私有地で、車で通り過ぎることしか許されない。それどころか、ここ、パーム・ビーチは平均価格2500万ドルの豪邸が並ぶ超高級住宅地で、信者がトランプの旗を掲げて騒ごうものなら、あっさり警察に排除されてしまうのだ。

さて、パーム・ビーチで最も壮大な豪邸はマール・ア・ラーゴではない。ヘンリー・フラッグラー邸のホワイトホールだ。フラッグラーはフロリダ南部を開発した鉄道王で、「フロリダの父」と呼ばれる。この邸宅は1902年に3番目の妻のために建てられた。現在は博物館として一般に公開されているので入ってみた。ギリシャやローマの神殿がモチーフで、フラッグラーがヨーロッパから集めた絵画や彫刻に囲まれていると、ここがアメリカであることを忘れる。

この「フロリダの父」も、トランプ以上に問題の多い大富豪だった。

ホワイトホールに飾られたフラッグラーの肖像を見ると、本に手をかけている。当時、アメリカの大富豪は成金だと思われていたので、教養のあるところをアピールしたかったのだろう。だが、実際のところ、彼は成金だった。オランダからの移民の牧師の息子だった彼は、中学を出ると雑貨店で働き始め、商才を発揮して店主に気に入られ、店主の娘メアリーを妻にして経営者となった。

そしてロックフェラーとともに石油業者スタンダード・オイルを率いて、商売敵を片っ端から潰し、吸収して、アメリカの石油を独占した（1911年に独占禁止法違反で解体）。

1881年、妻メアリーの結核療養のため、暖かいフロリダ北部のジャクソンビル市に移住。その甲斐なくメアリーは亡くなるが、フラッグラーは鉄道会社を買収して、フロリダの南へ南へと鉄道を延ばしていった。

しかし当時の人々はフラッグラーのフロリダ開発を馬鹿にしていた。当時のフロリダはワニだらけのジャングルで、わずかに開拓者がオレンジを栽培していただけだったので、この土地が金になるとは思えなかったのだ。

「フロリダを南仏のリビエラみたいな高級避寒地にする」

その信念でフラッグラーはジャングルを切り拓き、鉄道を敷いていった。労働力には南部の刑務所から借りてきた囚人たちをタダで酷使した。ワニやヘビ、ヒルや蚊と戦いながらの開拓は地獄だったという。

フラッグラーは1894年にはパーム・ビーチ、1896年にはマイアミまで鉄道を通した。マイアミは後にリゾート地として爆発的に発展する。

私生活では、最初の妻メアリーの介護人だったアイダと再婚した。メアリーの闘病中に関係が始まったといわれる。しかし、この2番目の妻は、自分はロシア皇帝ニコライ2世の妻だと言い始めた。精神病に

よる妄想だった。

☆　メアリーの呪い　☆

フラッグラーは既に、37歳下のメアリー・リリーという愛人がいたが、アイダと離婚できなかった。当時のフロリダでは配偶者の精神病を理由に離婚することは許されなかったからだ。そこで莫大な財力で政治を動かし、法律を変えてアイダと離婚し、メアリー・リリーと結婚した。

1912年、フラッグラーはついにフロリダ最南端のキーウェストまで、海の上に鉄道を敷いたが、その翌年、ホワイトホールの階段で転んで死去した。83歳だった。

未亡人メアリーは、夫の死の3年後に、

ケンタッキーの政治家ロバート・ワース・ビンガムと再婚したが、そのわずか8カ月後に急死した。ビンガムが遺産目当てで毒を盛ったと噂され、夫人の遺体が掘り返されて解剖された。毒物は検出できなかったが、メアリー殺しの疑惑は晴れなかった。

ビンガムはメアリーの遺産で新聞社を買収し、ケンタッキー州ルイビルのメディアと経済と政治を支配したが、長男と三男が不慮の事故で亡くなり、メアリーの呪いだと言われた。

長男は自動車でサーフボードを運ぼうとして、後部座席の窓を開けてサーフボードを横に挿して運転していたところ、窓から突き出したボードの端が対向車にはじかれ、回転してきたボードの反対端に後頭部を強打されて死亡した。

さて、トランプがマール・ア・ラーゴを1985年に購入した時の値段はたったの1000万ドルだった（しかも家具込み）。そんなに安く、どうやって？

マール・ア・ラーゴと大西洋の間にあるビーチは第三者の所有だったので、まずトランプはそれを買収し、「デカいビルを建ててマール・ア・ラーゴの景観を遮るぞ」と言って、値下げさせたのだ。

……これって脅迫じゃないの？　こんな男が大統領だったなんて……。

全米最大の
お達者コミュニティでは
男性がモテモテ

2022年11月10日号

「フロリダで最もフレンドリーな村」に行ってきた。そこは、老人しか住んでいない「村」。でも過疎ではなく、毎年4500人も人口が増加し続けている。

フロリダ州のディズニー・ワールドがあるオーランドから車で1時間ほど走ると、「ザ・ヴィレッジズ（村の複数形）」の看板が出てくる。その看板をよく見ると®（商標登録）のマークがある。村といっても不動産の商品名で、行政区画じゃないのだ。

ザ・ヴィレッジズは1960年代に高齢者向け建売住宅コミュニティとして開発が始まり、最初の入居者は8000人。それが現在、13万人にまで増え、全米最大の高齢者コミュニティになった。面積はニューヨークのマンハッタン島より大きくなり、今もあちこちで造成工事中だ。

「いつかはディズニー・ワールドに届くんじゃないかと言われてるのよ」

そう語るのはリンダ・クックさん。夫のジェリーさん（2人とも66歳）と共に、このザ・ヴィレッジズからYouTubeで発信している。

「いくらでも面積を増やせるからね。周りは湿地帯だから」ジェリーさんは言う。「住んでるのはワニとペリカンやコウノトリだけさ」

リンダさんとジェリーさんのお宅を訪問した。広々としたリビングとキッチン。夫婦のベッドルームにはウォークインクローゼット。それに息子さん一家が訪ねてきた時のためのゲストルームが2つ。そちらにもバスルームがある。これで5000万円ほど。ザ・ヴィレッジズにはもっと安いコンドミニアムやもっと大きな豪邸もある。平均価格は約4000万円（筆者の住むカリフォルニア州は7000万円）。

「さらに毎月179ドル払えば、遊び放題だよ」

ザ・ヴィレッジズと複数形なのは、50以上のヴィレッジの集合体だから。各ヴィレッジごとにプールとテニスコートとなんとゴルフコースがある（ホール数は合計700以上）。その他に、スポーツや音楽やアートなど300を超えるレクリエーションが全部、月179ドルで使い放題になる。

「ゴルフは予約無しでいつでも遊べるし、コーチも常駐してるから初心者でも大丈夫」

このザ・ヴィレッジズに来る前はゴルフ経験がなかった住人も多いという。入居者の多くは富裕層ではなく、公務員や勤め人として40年近くただひたすら働いてきて、ゴルフなんかする暇も余裕もなかった人たちだ。リンダさんとジェリーさんも公立学校の教師だったから、決して金持ちではない。

「ずっと働いてきた自分たちへのご褒美として、ここを買ったんだ」ジェリーさんは言う。「天国みたいだと言われる。天使の代わりにワニがいるけど」

実際、リンダさんは池の近くで自転車が転倒した時、ワニが近づいて来て、命からがら逃げたという。

「ワニってああ見えて、ものすごく脚が

速いのよ」

ワニはいるけど、交通事故はほとんどない。ザ・ヴィレッジズでメインの交通手段はゴルフ・カートなのだ。道路にはカート専用道があって歩行者と分離されているし、アクセルを思い切り踏み込んでも最高時速30キロほどしか出ないので、カート同士ぶつかっても、それほど大きな事故にはならない。

住宅地だけじゃなくて、商店街もある。店やレストランは、どれも19世紀から続いている老舗みたいなたたずまいだが、そう見えるように作っただけ。ここは「アメリカの古き良きスモールタウン」というテーマパークなのだ。もちろん、どこにもゴミひとつ落ちてない。

☆ ザ・ヴィレッジズに「無いもの」 ☆

何でもあるザ・ヴィレッジズだが、「無いもの」もいっぱいある。家族単位で住める一部地域を除けば55歳以下の住民がいない（購入できない）。19歳未満の若者は30日以上滞在することが許されない。学校は、ザ・ヴィレッジズの従業員の子ども専用の小学校があるだけ。ハロウィーンにいくら家をカボチャで飾っても、「お菓子をくれないとイタズラするぞ」とドアを叩く子どもはいない。病院に産婦人科はあるが産院はない。

「周りにはいっぱいコウノトリがいるけど、世界でいちばん怠け者だね。ちっとも赤ん坊を運んでこない（笑）」（ジェリーさん）

貧困も基本的にない。家が買えて、年金や恩給を受給する老人しか住んでないから。だから犯罪もほとんどない。

段差もない。すべての建物がバリアフリーなのは言うまでもなく、道路にも一切の段差がない。しかも坂道もない。そもそもフロリダには山も谷もないから。

寒さもない。真冬でもめったに摂氏10度を下回らない。暖房費はかからないし、冬のコートも必要ない。

「君ももうすぐ引退だろ？　住んでみたいと思わない？」

……うーん……。

まず、気になるのはルールが厳しいこと。すべて持ち家だから、家の内部はいくらでも改装できるが、外観を変えることは禁止。勝手にペンキも塗れない。外から見える場所に自動車以外の物を置くのも禁止。芝生はいつも綺麗に整えるためにガーデニング業者を雇うことが義務付けられている。だって、テーマパークだからね。

それともうひとつ。アジア人を見かけない。住民の98％が白人。だから、ザ・ヴィレッジズはフロリダで最も政治的に保守的。トランプもここでは大人気。……住みにくそうだ。

ただ、「ザ・ヴィレッジズに行けば、どんな男性もモテモテ」だという。たいてい男性のほうが先に亡くなり、女性の人口が多いからだ。長生きに自信のある方、未亡人好きの方、どうですか？

ユダヤ陰謀論者のカニエ・ウェストをアディダスが切った理由

2022年11月17日号

「カニエ・ウェストはもう終わりだ」

今まで何度言われただろうか。「Ye（イェー）」に改名したり、トランプを「お父さんみたいだ」と呼んだり、「黒人は自ら選んで奴隷になった」と言ったりなどの珍言奇行を繰り返し、2016年には双極性障害と診断され、そのたびに「もう終わった」と言われ続けたイェー（カニエ）・ウェスト（45歳）だが、CD出せばミリオン売れて、ファッションやスニーカーはもっと売れて、彼の純資産は20億ドルに膨れ上がった。でも、今度こそは、さすがに年貢の納め時かもしれない。

10月初め、パリのファッションウィークで、記者団の前にカニエ・ウェストはキャンディス・オーウェンズ（33歳）と並んで登場。オーウェンズは黒人女性ジャーナリストで、ずっとネットにおける人種差別と戦っていたが、2017年に突然トランプ支持に転向、今は極右ゴリゴリ。その二人の着るシャツの背中にはこう書かれていた。

「White Lives Matter（白人の命も大切だ）」

それはもちろん「Black Lives Matter（ブラック・ライブズ・マター。黒人の命も大切だ）」という警官による黒人への暴力に抗議するスローガンのパロディだ。白人至上主義者たちが言い出したことだが、カニエもオーウェンズも黒人なのだ。

カニエたちは、ブラック・ライブズ・マター運動のきっかけになった、ミネアポリス市の警官によるジョージ・フロイド氏殺害事件は政治的陰謀だったと主張する。「警官がフロイドの気道を塞いだというのは嘘だ」カニエは言う。「本当の死因はフロイドの鎮痛剤中毒だ」殺害現場は様々な角度で動画が撮影され、検死解剖でも窒息が死因だと鑑定されているのに。

カニエの「White Lives Matter」シャツは、黒人たちから「裏切りだ」と批難された。ラッパー仲間のP・ディディもカニエに個人的にテキストを送って彼を諭した。しかし、カニエはP・ディディに「あんたはメディアを支配するユダヤ資本に操られている」と反論し、こう書いた。

「俺はユダヤ人に対してDeath Con 3（デスコン3）に入る」

「デフコン（DEFCON）」とはアメリカ国防総省の戦争への準備段階を示す基準で、デフコン1は開戦ギリギリ。デフコン3は9・11テロ発生時のレベル。カニエはそれを「デスコン」と書き、ユダヤ人に対する殺意を匂わせ、ツイッターで公開した。これは冗談ですまされない。2018年にはネットにユダヤ人への憎しみを書き込んでいた男がピッツバーグのシナゴーグ（ユダヤ教礼拝堂）に乱入して11人を殺している。

ツイッターはカニエの投稿を削除し、彼のアカウントを凍結したが、すでにSNSでカニエへの怒りがあふれ出していた。ハリウッドのセレブも怒った。リース・ウィザースプーン、グウィネス・パルトロウ、フローレンス・ピュー、カニエの元妻キム・カーダシアンも加わった。

レイシストと呼ばれたカニエはSNSやポッドキャストなどで「俺は黒人なんだからレイシストのはずがない」「俺はユダヤ人だから反ユダヤのはずがない」と反論した（ユダヤ人だったモーゼは実は黒人だったという説がある）。

カニエは勢い余って関係ない著名人に八つ当たりした。コメディアンのトレヴァー・ノアに対しては「アフリカ生まれなだけで黒人じゃない」と中傷。ノアの父は白人だが、母は黒人なのに。豊満な女性シンガーのリゾに対しては「肥満を流行らせるのは悪魔的だ」と罵った。カニエの母は脂肪吸引手術後の合併症で亡くなっている。

四面楚歌のカニエに味方が現れた。10月22日、ロサンジェルスのフリーウェイ405号線にまたがる陸橋にこんな垂れ幕がかかった。

「ユダヤ人についてのカニエの意見は正しい」

垂れ幕を出したのは「ゴイム（非ユダヤ人）防衛同盟」という、悪名高い反ユダヤ団体だった。

☆ ついにアディダスも ☆

これはヤバい。業界はカニエとの契約を切り始めた。まず、高級ブランドのバレンシアガが「彼と関係を断ち、今後のプロジェクトも白紙」と宣言。ヴォーグ誌もカニエを出入り禁止に。カニエはジョニー・デップの名誉毀損裁判で勝利したカミーユ・バスケスを弁護士に雇おうとしたが、断られた。カニエの代理人であるアメリカ最大のタレント事務所C

ＡＡも契約を打ち切った。

それでもカニエは余裕だった。彼の資産のうち最も大きな割合を占めるのはアディダスとの契約だからだ。カニエのスニーカー・ブランド「YEEZY（イージー）」は、アディダスの年間売り上げの1割を占めるという。彼らもそれを失うわけにはいかないだろう。

「アディダスのおかげで俺はユダヤ人の悪口も言えるのさ」とカニエはうそぶいた。

これで世間の怒りの矛先はアディダスに向かった。アディダスの社名は創業者アドルフ・ダスラーの名前に由来している。靴工場の経営者だったダスラーはヒットラーのナチ党に参加し、ドイツ軍のために靴を作っていた。そんな歴史を背負ったアディダスにとって「反ユダヤ」と呼ばれるのはなんとしても避けたい。

10月25日、アディダスはコメントを出した。

「イェー・ウェスト氏の最近の言動は、憎悪に満ち、危険で、多様性と包括性、相互尊重と公正という弊社の価値観に反しており、容認できません」

そして、彼のブランド製品の生産を終了し、支払いを停止すると述べた。

「カニエ・ウェストはもうビリオネアではない」

経済誌フォーブスがそう報じた。彼の資産は20億ドルから4億ドルに減ったというのだ。

なんだ、それでも６００億円近いじゃん！　円安だしな！

ペロシ議長が襲われた ツイッター買収で陰謀論が野放し

2022年11月24日号

もう20年も民主党のリーダーであり続けている連邦下院議長ナンシー・ペロシ（82歳）は、ドナルド・トランプにとって最強の敵だ。

トランプが大統領だった頃、一般教書演説をする彼の真後ろで、ペロシ議長はトランプが読んでいる演説の原稿を「こんなゴミ」みたいな表情でビリビリと引き裂いてみせた。そしてトランプを弾劾した。しかも2回。

今も下院特別委員会に2021年1月6日の議会襲撃の煽動者としてトランプを召喚している。11月14日の召喚に応じなければ議会侮辱罪、応じて証言で嘘をついたら偽証罪、煽動を認めたら反乱罪。トランプついに進退窮まった？

ナンシー・ペロシ議長は元専業主婦。大学を出てすぐに同級生のポール・ペロシ氏（後に銀行家・実業家。現在82歳）と結婚し、47歳で初めて議員に立候補するまで、就業経験はなかった（民主党の大物活動家ではあったけど）。

今年で結婚生活60年目のこの夫婦が襲われた。

「ナンシーはどこだ！」

10月28日の午前2時すぎ、ペロシ夫妻の自宅に押し入った男はそう叫んだ。それは、2021年1月6日に連邦議会に乱入したトランプ支持者たちが叫んだ言葉と同じだった。

ペロシ家はサンフランシスコの高級住宅地パシフィックハイツに建つ豪邸だが、警備員はなく、男は寝室のガラスを割って侵入した。だが、標的の下院議長は首都ワシントンにいて留守。室内には夫のポール氏しかいなかった。彼は電話で警察に通報したが、侵入者にハンマーで殴られて頭蓋骨を骨折し、危うく死ぬところだった。

駆けつけた警察に逮捕された犯人はデヴィッド・デパピ（42歳）。無職で、サンフランシスコの対岸の街リッチモンド（筆者の近所）のガレージを借りて住んでいた。現場にはペロシ議長を誘拐するための結束バンドなどを持ちこんでいた。ハンマーは彼女の膝を叩き割るつもりだったという。動機について「俺は建国の父のように独裁者と戦っている」と寝言を語った。

デパピはネットに、差別的な陰謀論に基づくイラストを投稿していた。ヒラリー・クリントンが子ども

の生き血を浴びる悪魔の儀式をしたり、悪魔がユダヤ人に「嘘のつきかたを教えてくれ」とひざまずいたり……。ペロシ議長のことも悪魔のように考えていたらしい。

ネットでは悪魔の角をはやしたペロシが描かれたコーヒーカップやトイレットペーパーが売られている。ドナルド・トランプがことあるごとに議長を「クレイジー・ナンシー」などと呼んで犬笛を吹いてきたから。

トランプの犬笛に支持者たちは忠実だ。2020年、トランプはミシガン州知事グレッチェン・ウィットマーのコロナ対策を厳しすぎると批判し「ミシガンを解放せよ」と呼びかけた。それを真に受けてウィットマー州知事を拉致しようと計画した武装グループが逮捕された。

ニューヨーク・タイムズ紙によると、政治家や公務員に対する暴力や脅迫は、2016年のトランプの大統領当選から5年間で10倍に増加し、昨年だけで9625件もの事件が記録された。2020年の大統領選挙で僅差でトランプが負けた州の選挙委員も脅迫された。

暴力を煽るのはトランプだけじゃない。最も過激なトランピストの下院議員、マージョリー・テイラー・グリーン（共和党）は、2019年にネット上の「ナンシー・ペロシの頭に銃弾を」という投稿に「いいね」をつけた引責で、下院委員会に出入り禁止になった。そのグリーン議員はペロシ襲撃について何の反省もなく「銃で武装してなかったのが悪いのよ」とポール氏を責めるツイートをした。

☆ツイッターが無法地帯に？☆

他のトランプ支持者はもっとひどいデマをネットにバラまいた。

「犯人のデパピは実はポール氏の愛人で、本当は襲撃ではなく、痴話ゲンカだった」

さらにそのデマを拡散したのはフォロワー1億人超えの男、イーロン・マスクだった！

イーロン・マスクはこの数日前にツイッターを買収してCEOになったばかりだった。彼は以前から、「あんなにフォロワーの多いトランプをツイッター社が追放したのは道徳的に間違いだった」と批判していた。トランプはデマと陰謀論と差別を撒き散らして危険すぎるから出禁になったのに、マスクはCEO

になった途端にトランプを追放したツイッター社幹部をクビにした。この日、ツイッターのヘイトスピーチ投稿は6倍に増加したという。

マスクは自らデマをツイートするぐらいだし（後に削除）、従業員の半分をクビにすると宣言しているので、ツイッターは無法地帯になるかもしれない。ほら、すでにこんなハッシュタグがトレンドになってる。

#TrumpIsDead（トランプは死んだ）

発信源はティム・ハイデッカーという人。だが、そのツイートには「ユーザーからの指摘」がついてて「ハイデッカーはコメディアンで、このツイートはジョーク」と書いてある。彼は取材に対して「ツイッターの管理能力を計測するために書いてみた」と言っている。

で、24時間後の現在、「トランプは死んだ」ツイートは削除されていない。そればかりかネットは、フォトショで作ったトランプの墓やゴミ箱に捨てられた棺桶の画像、メラニア夫人の「家に帰ったらウチの夫がトイレで自分のクソに溺れて死んでたわ」という嘘ツイートやらがあふれてトランプ死んだ祭りになってるよ！

『風と共に去りぬ』のアトランタは今ヒップホップの首都で南部のハリウッド

2022年12月1日号

アメリカ中間選挙の取材で、激戦地ジョージア州に行った。ジョージアといえば『風と共に去りぬ』の舞台で、白人たちは黒人を酷使した綿花農場で莫大な財を成した。現在のジョージア州知事ブライアン・ケンプの祖先もそうだった。

ジョージアは南北戦争で焼き尽くされ奴隷は解放されたが、ＫＫＫが黒人に暴威をふるい続けた。１９７６年の大統領選では、ジョージアのピーナッツ農場の経営者ジミー・カーターが民主党から当選したものの、その後は共和党がほぼ勝利するゴリゴリの保守王国だった。

ところが、２０１８年の州知事選で、民主党の黒人女性候補ステイシー・エイブラムズがケンプに6万票差まで迫った。続く2020年の大統領選では僅差で民主党のバイデンが勝った。ジョージアは変わった?

州都アトランタに10年ぶりに来てみたら、変わったなんてもんじゃなかった。ニューヨークのマンハッタンと間違えそうな、最先端のデザインの高層ビルが立ち並んでいる。どれも、ここ10年間で建てられたものだという。グーグルやマイクロソフトの社屋もある。ジョージア工科大学を中心にハイテク企業が集まっているのだ。

アトランタのすぐ北にある住宅地バックヘッドはもっとすごい。「南部のビバリーヒルズ」と呼ばれるほどの豪邸や高級コンドミニアムが立ち並び、ロデオドライブみたいな高級ブティック街ではディオールやジミー チュウのショーウィンドーの前をポルシェやベントレーが通り過ぎる。カフェでは若くおしゃれな男女が1杯30ドルのカクテルを傾けている。しかも、彼らの多くが黒人だ。

アトランタではIT以外に2つのゴールドラッシュが起こっている。ひとつは映画。現在、アメリカの映画やテレビドラマの多くがアトランタで撮影されている。たとえばマーヴェルのメガヒット作『ブラックパンサー』。アフリカのワカンダ王国の若き国王とその宿敵が世界を股にかけて戦うスペクタクルだが、実はかなりの部分、アトランタで撮影されている。アフリカのワカンダも、ロンドンの大英博物館も、カリフォルニアのオークランドもだ。スイスの国連ビルとして映るのはアトランタ市庁舎だよ。

アトランタ市は映画の制作会社に税金優遇措置を与えるだけでなく、全編すさまじいカーチェイスが続く『ベイビー・ドライバー』みたいな大変な撮影にも許可を出す。他にも『ウォーキング・デッド』や『ストレンジャー・シングス』や、そのものズバリ『アトランタ』などのドラマが、いつもどこかで撮影されているアトランタは、「南部のハリウッド」と呼ばれている。

アトランタには「Hip-Hopの首都」という異名もある。クリス・クロスから、リュダクリス、アウトキャスト、T.I.、ジーズィー、ミーゴス、みんなアトランタから出てきた。アトランタのラップシーンは、いがみ合いや抗争が激しいニューヨークやロサンジェルスと違って仲がいいから発展した、という話も聞いた。ミーゴスのテイクオフは先日テキサス州ヒューストンで撃たれて28歳で亡くなってしまったけども。

今年、再び州知事選に出馬したステイシー・エイブラムズ候補の応援集会に行ってみると、女性のDJがブラックミュージックをかけまくり、地元の人気ラップ・ミュージシャンがステージで歌い、若い黒人女性が踊りまくる、まるでクラブ。

シュプレヒコールが上がる。

「女性の権利を守るため、教育を守るため、ケンプを倒そう！」

☆　農村部の白人たちは？　☆

「女性の権利を守る」というのは妊娠6週目以降の中絶を禁止する州法にケンプが署名したから。6月に

連邦最高裁が中絶の権利を守らないと判決したことで、共和党が政権を握る州では次々と中絶が禁止されている。

「教育を守る」というのは、ケンプが署名した、CRT（批判的人種理論）を公立学校で教えることを禁止する州法のこと。CRTとは「白人至上主義がアメリカの法律や制度に深く組み込まれている」という考えで、「子どもに教えると、白人に対する憎しみを植え付ける」と、ジョージアなど共和党が政権を取る州、つまり南部の各州で禁止法が法制化された。祖先の犯罪を隠す法律だ。

州都アトランタから自動車で1時間も離れると、40年前と変わらない農村部が広がっている。綿花畑も。そんな田舎で行われたケンプ州知事の応援集会にも顔を出してみた。

会場にいるのは見事に白人ばかり。流れる音楽はカントリー&ウェスタン。

「ケンプの中絶禁止法を支持します。私たちはクリスチャンだから！」と声をそろえる支持者の胸には十字架がぶら下がっている。仕事を聞いてみると、やはり農業、それにロッキードなど軍需産業で働く人も多い。

「ジョージアの経済は好調なのに、バイデンの無策によるインフレで州民は困っている」

ケンプはひどい南部なまりで叫んだ。「私は州民のためにガソリン税を停止した！」

世論調査によれば、ジョージアに限らず、全米の有権者の7割が現在の政治的な関心事はインフレだと答えている。中絶禁止が問題だとする有権者は5割にすぎない。インフレを民主党政権の罪として強調した共和党は連邦下院でも過半数を取り、ケンプも圧勝した。

経済をいくらダメにしても政権が替わらない国って日本だけなんですね。

トランプ再出馬演説はウソだらけ 公文書持ち出しで監獄から選挙活動?

2022年12月8日号

「アメリカのカムバックはここから始まる！」

11月15日、ドナルド・トランプ前大統領は、フロリダの別荘マール・ア・ラーゴの金ぴかの広間に集めた支持者の前で、2年後の2024年の大統領選への出馬を宣言した。

トランプは11月8日の中間選挙で大負けしたばかりだった。トランプが推しまくった候補たちが激戦州で敗退したのだ。結果、共和党は下院議会ではわずかな差で過半数を奪ったが、上院では民主党に過半数を取られた。与党民主党はインフレのせいで圧倒的に不利と予想されていたが、共和党の票は伸びなかった。

その理由の一つはトランプと言われた。

2020年の大統領選の敗北を認めず、議会乱入を扇動したわがまま大王と、そのおしりにキスし続ける共和党にさすがにうんざりしたようだ。

トランプじゃ次の大統領選に勝てないという声が高まった。既に、フロリダ州知事のロン・デサンティスが共和党の次期大統領候補と言われている。デサンティスは移民やLGBTイジメの政策がトランプに似ているが、ハーヴァードとイエールで学んだ元軍人で、「頭のいいトランプ」などと呼ばれている。中間選挙では対抗馬に20ポイント近くの差をつけて圧勝。世論調査でも支持率は既にトランプを上回っている。

そんなところに、トランプは出馬宣言をぶつけてきた。演説で、彼は自分がいかに優秀な大統領だったか、40分にわたって自慢し続けたが、中身は相変わらずデタラメだった。

「私の任期中、何十年、何十年もの間、戦争はなかった」

これを聴いて、会場に集まったトランプ支持者は拍手喝采していたが、トランプの在任期間は何十年じゃなくて4年でしょ？　しかも、ずっとアフガン戦争は続いてた。忘れたの？

「私の政権が満タンにした戦略石油備蓄をバイデン政権は使い果たした」

実際の戦略石油備蓄量は、トランプが就任した時よりも退任した時のほうが少なくなっている。満タンになんかしなかったのだ。バイデンは確かに石油価格を抑えるために備蓄を放出したが、現在の備蓄量は約4億バレルで、世界最多だ。

「私が大統領になるまで、中国からの輸入に関税をかけた大統領は一人もいなかった」

アメリカはこの200年間、中国に関税を課し続けてきた。てか、トランプ就任以前の10年間の関税額の平均は年123億ドル。トランプがしたのは関税率の引き上げ。自分がしたこともよく覚えてないらしい。

「このインフレで感謝祭の七面鳥は去年の3倍から4倍になる」

確かに値上がりはしてるよ。でも、去年に比べてせいぜい10％くらい。トランプはスーパーなんか行ったこともないだろう。

「バイデンはボケてるから、アイダホに

行って『フロリダはいいね』と言った」

まったくそんな事実はない。「バイデンはアイダホに行ってアイオワと間違えた」というジョークはあるが、そもそも、アイダホとフロリダじゃジョークにもならないよ。

この前日、トランプは下院特別委員会から証言録取の召喚を受けていた。が、すっぽかした。召喚に応じなければ議会侮辱罪になりかねないが、証言したらしたで偽証罪になっただろう。1分に1度は嘘を言わずにいられない人だから。

☆獄中からでも出馬する？☆

ただ、今回の選挙で下院を共和党が制したので、議会乱入調査委員会は解散するだろう。しかし、それでもトランプが国家機密文書を別荘マール・ア・ラーゴに持ち出して返さなかったことは罪に問われるかもしれない。

トランプはそれについても演説で「オバマはもっと多くの文書を持ち去った」と言ったが、例によってデタラメ。すでにＮＡＲＡ（米国立公文書記録管理局）が指摘しているように、大統領の任期が終わると、その大統領についての文書は、その大統領の記念図書館の近くの施設にＮＡＲＡが移送する決まり。その手続きに従ってオバマ元大統領の文書もシカゴのＮＡＲＡの施設に保管されただけ。

トランプは文書持ち出しで起訴されることを恐れて出馬宣言をしたとも言われるが、立候補しただけだと起訴は免れない。ただし、起訴されて刑を受けても獄中から出馬はできる。前科があっても「法律的には」大統領になる資格はある。

何があろうとトランプは出馬するしかない。なぜなら、出馬を匂わせて寄付を集めてきたから。トランプのPAC（政治行動委員会）が集めた額はなんと1億ドル。共和党すべてへの献金を上回る。これで出馬しなかったら出る出る詐欺だからね！

トランプは出馬宣言の4日後、もうひとつのカムバックを果たした。11月19日、ツイッターがトランプの永久追放を解除したのだ。

トランプは2021年、8800万人ものフォロワーを、大統領選挙の結果を覆すための暴力へと煽動したので、1月8日、ツイッターから永久追放された。しかし、ツイッター社を買収したイーロン・マスクは「トランプ復帰」を一般投票にかけた。1500万人以上が投票し、51・8％が復帰に賛成。マスクはアカウントを復活させ、すぐに10万人以上フォロワーが増えた。

11月23日時点で、トランプのツイートはない。自らSNS「トゥルース・ソーシャル」を立ち上げたので戻る気はないそうだけど、トランプの言うトゥルース（真実）ほど怪しいものはないしね。

元NFLスターの上院議員候補が妻を殺そうとしたのは多重人格が原因?

2022年12月15日号

ジョージア州の連邦上院候補ハーシェル・ウォーカー(共和党)の応援集会に行って来た。ウォーカーは12月6日に、現職のラファエル・ワーノック(民主党)と決選投票を争う。

11月のアメリカ中間選挙で上院は100議席のうち半分の50議席を民主党、49議席を共和党が獲得した。残る1議席はジョージア州だが、ワーノックもウォーカーも過半数に達しなかったので、州法に従い、決選投票にかけられることになったのだ。

ちなみに2人ともアフリカ系だが、ハーシェル・ウォーカーの集会に集まった支持者たちは見事に白人ばかりだった。アメフト・ファンなのかな? そう思ったのは、ハーシェル・ウォーカーはフットボール史に残る伝説のランニングバックだから。ジョージア大学では最高の学生選手に送られるハイズマン賞を受賞。NFLのダラス・カウボーイズに入ってオールスター戦プロボウルに2年連続で選出。1999年には大学アメフトの殿堂入りを果たした。

ところが、ウォーカーの応援に集まった人々はアメフト選手としての彼のファンではないと言う。30歳くらいの男性は「ハーシェルの現役時代は25年も前だから僕は見てないんです」あ、そうか。じゃあ、なんで応援してるんですか？

「トランピストだからです！」

ウォーカーを上院選に引っ張り出したのはドナルド・トランプだった。ウォーカーはトランプ政権の大統領フィットネススポーツ栄養審議会員だったのだ。

「GO！　ハーシェル」と書かれたシャツを着た50代の女性は「ハーシェルも私もクリスチャンだから」と答えた。

ウォーカーはゴリゴリのキリスト教保守派だ。LGBTについて学校で教えることに反対し、ジョージア州法で決められた妊娠6週目以降の人工中絶禁止にも賛成。だからジョージア州の保守的キリスト教徒から支持を集めている。

ところがライバルのラファエル・ワーノックもキリスト教徒で、しかも牧師。公民権運動の英雄マーチン・ルーサー・キング牧師が主任を務めたエベニーザ・バプテスト教会の現在の主任をしている。

「ワーノックはリベラルだからダメ」GO! ハーシェルさんは言う。

ワーノックは同性婚に賛成し、人工中絶の権利も守ると宣言している。

でも、ハーシェル・ウォーカーのスキャンダルについてはどう思います? 彼女に聞いてみた。

ウォーカーは醜聞まみれだ。

2001年、ウォーカーは当時の妻シンディ・グロスマンの頭に拳銃を突きつけて「貴様の脳みそを吹き飛ばすぞ」と脅して駆けつけた警察に武装解除された。妻の喉にかみそりをあてて「殺すぞ」と凄んだこともある。それをウォーカーは否定していない。覚えてないというのだ。ウォーカーは解離性同一性障害、いわゆる多重人格だと診断された。

2008年にウォーカーが出版した自伝『解放：解離性同一性障害の人生』によると、彼の中には12人の人格がいる。暴力的な「戦士」、優しい「助言者」、努力家の「英雄」、人格を使い分ける「コーチ」などで、「戦士」がしたことは、他の人格は知らないというのだ。

「でも、私は神への信仰によって治りました」ウォーカーは言う。「人は過ちを犯すものです。でも、私は神に許されたんです」だが、「過ち」はそれだけじゃなかった。

ウォーカーには最初の妻との間にクリスチャンという23歳の長男がいるのは知られていたが、彼以外に婚外子が3人の女性との間に1人ずついることが暴かれた。しかも10歳の息子については養育費支払いを拒否して訴えられていた。

さらにその10歳の婚外子の母親は「1人目の子をウォーカーに中絶させられたので、2人目を生んだ」と証言した。さらにもう1人の女性も中絶させられたと名乗り出た。どちらもウォーカーがシンディと結婚していた期間のことだ。

☆ 長男がウォーカーを批判 ☆

自分を棚に上げて中絶禁止に賛成か？ ワーノック陣営はウォーカーの偽善を激しく攻撃している。

「ハーシェルの過ちは、みんな解離性同一性障害のせいなのよ」とGO！ ハーシェルさんはかばう。

そうだろうか？ その診断をした精神科医ジェリー・ムンガゼは、精神病の治療としてエクソシズム、つまり悪魔祓いを推奨していたような怪しい人物だ。

そもそも解離性同一性障害という病気を有名にしたのは、16の人格に分裂した患者シビル・イザベル・ドーセットの生涯を記録したノンフィクション『失われた私』（73年）だが、2011年に、シビルの16人格は、シビルと精神科医が共謀して作り上げた嘘だったと検証されている。

「ハーシェルは嘘つきです」

ウォーカーの長男クリスチャンはツイッターで父を批判した。彼はゲイでありながら政治的に保守的な発言をすることで人気を集め、インスタのフォロワーは50万人もいる。

「母と僕は彼の暴力から逃れるために半年で6回以上も引っ越ししたんです。彼は上院議員にはふさわしくありません」

確かにハーシェルは嘘つきだ。大学を卒業したとか（実は中退）、FBIに所属していたとか（んなわけがない）嘘ばかりついてきた。

11月23日、保守系テレビ局FOXニュースに出演したハーシェル・ウォーカーは、数々のスキャンダルについて聞かれ、「この選挙は私のためではなく、国民のためのものです」と言おうとして選挙Electionを勃起Erectionと言って大恥かいてしまった。まあ、自分もLとRは言い間違えがちだから同情するよ！

テンプテーションズの自伝ミュージカルは死屍累々のコンフュージョン

2022年12月22日号

『エイント・トゥー・プラウド』というミュージカルを観た。ブロードウェイでヒットして、全米ツアーでサンフランシスコに回ってきたのだ。

タイトルは、R&Bグループ、テンプテーションズ（テンプス）の1966年のヒット曲から。テンプスが歩んだ道を彼らのヒット曲と共にたどっていく。テンプスはデトロイトのモータウン・レコードから1960年代にデビューし、人種やジャンルを超える世界的ヒットを飛ばした。

客席を見回すと自分も含めて白髪とハゲばかり。まあ、若い人は知らないよなー。筆者が大学生の頃は六本木の交差点にその名も「テンプス」というソウルバーがあってねえ、なんて言っても40年以上も前の話だからね。

幕が上がる。ステージにはテンプス黄金期の5人が並んで立ち、大ヒット曲「ゲット・レディ」を歌う。

「準備しなよ。始まるぜ」と。

リーダーのオーティス・ウィリアムズが観客に語り掛ける。

「僕らは高い高い山を登りつめて頂点を極めた。でも……」

テンプテーションズのメンバーは、グループ名どおり、人生のさまざまなテンプテーション（誘惑）に屈していった。

最初のリードボーカルでテンプス独特のダンスを振り付けたポール・ウィリアムズは、売れれば売れるほど酒浸りになり、肝臓を壊してステージに上がれず、34歳の時、路上の自動車の中で死んでいるのを発見された。拳銃で頭を撃っていた。

「マイ・ガール」（64年）などで男性的なリードボーカルを聴かせたデヴィッド・ラフィンは華のあるパフォーマンスで女性ファンの人気を集めたが、エゴの塊だった。グループ名を「デヴィッド・ラフィンとテンプテーションズ」に変更してスター扱いするよう要求した。同じレーベルの女性歌手タミー・テレル（当時21歳）に求婚し、ステージで婚約を発表したが、その時彼には妻と3人の子どもと別の愛人がいた。怒るタミーをラフィンは殴った。オートバイのヘルメットで。

それでタミーはラフィンから去ったが、2年後に脳腫瘍で夭逝した。以降、ラフィンはコカインに溺れ、

何度も何度も逮捕された末、1991年にコカインの過剰摂取で死亡した。50歳だった。

テンプスのヒット曲「スーパースター」（71年）はこう歌う。

運転手付きのリムジンで
キャビアとシャンペンを楽しんでも
あなたは他の人と同じ、ただの人間
忘れないで　頂点に上り詰めても
そこにどうやってたどり着いたかを

テンプスには、恋する女性と平凡な家庭を持って幸福に暮らす夢を歌う「ジャスト・マイ・イマジネーション」というヒット曲もある。それを天使のようなファルセット・ボイスで歌い、ファンを魅了したエディ・ケンドリックスは、自分の歌声を大切にしないヘヴィ・スモーカーで、92年に肺癌で亡くなった。52歳だった。

1970年、テンプスのヒット曲「ボール・オブ・コンフュージョン」は、ベトナム戦争、人種抗争、失業、税金、薬物など当時の社会問題を盛り込み、この世界を「混乱の地球」と歌ったが、このミュージカルではテンプス自体の人間関係やセックス&ドラッグの混乱を意味する。

その歌で「それでもバンドは演奏を続けるよ」とセクシーな低音で歌ったメルヴィン・フランクリンも、若年性リウマチの薬、コルチゾンの副作用で壊死性筋膜炎にかかり、52歳で亡くなった。

リーダーのオーティスはスキャンダルとも無縁で、ひたすら地味にグループを支えようとした。だが、自分の家庭はないがしろ。妻は他の男と家を出ていく。成人した息子は、疎遠だった父オーティスからの援助を拒否し、建築作業員として働くが、足場から転落して23歳で死亡してしまう。

テンプスの72年のヒット曲「パパ・ワズ・ア・ローリングストーン」はロクに家に帰らずに野垂れ死んだ父親を歌っているが、それを歌うオーティスの心境は……。

「そして僕以外、誰もいなくなった」最後にオーティスは語る。「でも、歌だけは永遠に残る」

☆ この人の伝記映画まで ☆

ミュージシャンの栄光と転落を描く物語が大人気だ。なんと、あのウィアード・アル・ヤンコビックまで伝記映画『ウィアード』を作った。ヤンコビックは1984年、マイケル・ジャクソンの「今夜はビート・イット」の替え歌「今夜もイート・イット」を発売した。

「日本の子どもは貧乏でご飯も食べられないのよ／だから、好き嫌い言わないで、何でも残さず食べなさい／チキンも食べなさい／パイも食べなさい」というヒドイ歌詞だったが、驚いたことにビルボードのトップ20入り。その後もマドンナの「ライク・ア・バージン」の替え歌「ライク・ア・サージョン（外科医）」、マイケル・ジャクソンの「BAD」のパロディ「FAT」など、40年近くも替え歌ひとすじに歌い続け、現在にいたる。

映画『ウィアード（キモい）』ではハリー・ポッターのダニエル・ラドクリフ君がアル・ヤンコビックを演じた。彼は「イート・イット」を作詞作曲するが、マイケル・ジャクソンにパクられ、マドンナと愛欲に溺れ、酒に酔って交通事故を起こして生死の境をさまよい、マドンナはメキシコのコカイン王に誘拐され、彼女を救うためにコカイン帝国を滅ぼし……え？

他のミュージシャンみたいに波乱万丈の人生がないから嘘八百で映画にしたそうな。まあ、この40年で、日本の子どもは本当に貧乏になっちゃったけどね。

カニエ・ウェスト ついにナチ宣言 その原因はポルノ？

2022年12月29日号

ラッパーのカニエ・ウェスト（法的にはイェーに改名したが）は、相次ぐユダヤ人差別発言のためにアディダスから契約を切られ、15億ドル（円じゃないよ、ドルだよ）のビジネスを失ったが、さらに反ユダヤ発言の上塗りを続けている。

11月22日、カニエはトランプ前大統領に面会を求め、フロリダ州にあるトランプの別荘、マール・ア・ラーゴに招かれた。トランプは次期大統領選に出馬すると宣言したばかりなので、パブリシティのために会っておこうと思ったのだろう。ところがカニエは自分が大統領候補になるからトランプに副大統領候補としてサポートしてくれと持ちかけた。当然断られた。アホですね。

しかも、カニエはニック・フエンテスという24歳の青年を連れて行った。悪名高い白人至上主義運動家だ。

フエンテスはヒットラーやナチを支持したり、ホロコーストを否定する発言をして「ネオナチ」と呼ばれている。そんな男と会ってしまったトランプは共和党からも猛批判を受けた。トランプ陣営は「知らなかった。カニエが勝手に連れてきた」と憤慨している。トランプの娘イヴァンカがユダヤ系と結婚してユダヤ教に改宗していることをカニエは知らなかったのだろう。

約1週間後の12月1日、カニエ・ウェストはアレックス・ジョーンズのネット番組に出演した。ジョーンズはトランプ支持の右翼ブロガーで、２０１２年の小学校乱射事件を「ヤラセ」だと主張して遺族から訴えられ、裁判で負けて約10億ドルの賠償金支払いを命じられて破産した直後。

カニエはなぜか真っ黒なマスクをかぶって出演、「僕はヒットラーが好きだ」「僕はユダヤ人を愛しているが、ナチも愛しているんだ」と言うカニエにジョーンズは笑って「同意できないな」と述べ、「君はヒットラーじゃないし、ナチでもないのに、そんな風に呼ばれて悪魔扱いされるべきじゃないよ」と諭した。しかし、カニエは聞いちゃいない。「ヒットラーのいい面もある。ユダヤ人にとやかく言われたくない。ヒットラーは高速道路を作った。僕がミュージシャンとして使っているマイクロフォンを発明したのもヒットラーだ」

違う。マイクロフォンを発明したのはエミール・ベルリナーというドイツ系ユダヤ人だよ。

「ナチの制服はかっこいいし、ヒットラーはいい建築家だった。ユダヤ人を６００万人も殺してない。僕はナチだよ」

……言ってしまった。

後日、アレックス・ジョーンズはカニエのことを「ナチとかヒットラーを好きなのってホモっぽいね」と揶揄した。それも問題発言だよ！

翌12月2日、３１００万人のフォロワーを持つカニエ・ウェストのツイッター・アカウントが凍結された。

先日、ツイッターのＣＥＯになったイーロン・マスクは、トランプをはじめ、差別発言で凍結されていたアカウントの凍結を解除する方針を出したばかりだった。にもかかわらずカニエが凍結されたのはなぜか？　カニエがユダヤのシンボルであるダビデの星とナチのカギ十字を合体させた図をツイートしたからだ。

ただ、その図はラエリアン・ムーブメントのシンボルでもある。ラエリアン・ムーブメントは１９７３年にフランス人クロード・ヴォリロンが始めた団体。ヴォリロンはＵＦＯに乗って地球に飛来した異星人と出会って、その教えを広めている。フリーセックスを提唱し、２００３年にクローン人間を開発したと発表して話題になった。カニエとラエリアンの関係はまだ判明していない。

とにかくツイッターはその図を「暴力扇動」と認定した。イーロンはこう説明した。「あんなものをツイートしたカニエをぶん殴りたかった。だから暴力扇動だ！」

☆ ポルノが僕の家族を破壊した ☆

翌12月3日、カニエ・ウェストは右翼インフルエンサー、ギャヴィン・マキネスのネット放送『センサードTV』に出演した。マキネスは議会乱入を扇動して起訴されたトランプ支持の右翼団体プラウド・ボーイズの創始者。

マキネスは「カニエが反ユダヤやナチにならないよう、彼を説得しよう」と言って彼をスタジオに呼んだ。「我らの敵は（ユダヤ人ではなく）、カマラ・ハリスやオバマのようなリベラル・エリートなんだから」というのだが、2人ともエリートなんかじゃなくて、貧しい育ちから苦労して出世したんだけどね。

でも、やっぱりカニエはマキネスの言うことなんかロクに聞かずに暴言を吐きまくった。

「ユダヤ人は自分の痛みを他人に押し付けないでくれ。もうヒットラーを許してやってくれ」

それにしてもなんで、カニエはこんなにもユダヤ人を憎むのか？　この番組で少しわかった。

「ユダヤ人はメディアや銀行や不動産やショッピングモールを支配してるんだ」カニエはよくあるユダヤ陰謀論を口走った。

「ユダヤの弁護士と経営者たちがアメリカにポルノを供給してるんだ。ポルノが僕の家族を破壊したんだ」

ポルノって？

「インスタで自分たちの体を見せびらかしている30代、40代の女性たちは結婚して子供を産もうとも思わない」

わかりにくいのだが、どうもカニエは、元妻のキム・カーダシアンがインスタでエロい自撮りを毎日世界に拡散していたことが離婚の原因だと言いたいようだ。で、それをユダヤ人のせいにしているのだ。たしかにインスタグラムを所有しているマーク・ザッカーバーグはユダヤ系だけど、それはいくらなんでも逆恨みだろ！

「暗号資産の王」は会社ごっこで懲役115年？

2023年1月5・12日号

12月12日、バハマ当局は暗号資産交換業者FTXのCEOだったサム・バンクマン＝フリード（30歳）を逮捕した。すでにアメリカ政府に身柄は引き渡されている。

サム・バンクマン＝フリード、通称SBFの資産は最高時に260億ドルに達し、クリプト・キング（暗号資産の王）とすら呼ばれた。億万長者なのにテレビなどに出演する際も、もじゃもじゃの髪と襟がデレ～ッと伸びたTシャツに短パン。インタビューの最中に手元でカチャカチャ音がするから何かと思えば、「リーグ・オブ・レジェンド」というオンライン・ゲームをやってたりする。常識など気にしない、典型的なオタク起業家だった。

だが、実際にしていたのは投資詐欺だった。SBFは、最悪、懲役115年の刑を受ける可能性がある。

SBFは1992年、名門スタンフォード大学の大学教授バンクマンとフリードの間に生まれ、名門MIT（マサチューセッツ工科大学）に進学した。2018年、25歳のSBFはカリフォルニア州アラメダ郡で、暗号資産を取引するための会社アラメダ・リサーチ（研究）を設立した。SBFは「信用されるように公的な研究施設のような社名にした」と言っている。アラメダ社は後に拠点を香港に移した。そちらのほうが規制が緩かったから。つまり、最初からかなり「ヤバい商売」という自覚があったのだろう。

2019年5月には暗号資産交換業者FTXを設立。つまり証券会社であるアラメダ社と交換業のFTX、両方を持つことになった。FTX内ではFTTという独自の暗号通貨が使われた。カジノ内でしか使えないチップみたいなものだ。

2021年、FTXは本社をカリブ海のバハマ国に移した。より規制が緩く、税金の優遇があり、アメリカ当局の目が及びにくいからだと言われる。SBFは海の見える3000万ドルのペントハウスに9人のスタッフと一緒に暮らしながら、FTXを操った。

SBFは莫大な資産を慈善団体などに寄付した。彼は「効果的利他主義 Effective Altruism」の信奉者だと宣言していた。それは哲学者ピーター・シンガーが提唱した考えで「効率的に他人のためになることをする（そのために金儲けも効率的にする）」という意味（それって昔から言う『情けは人のためならず』で

は?)。
SBFはこの2年間で、民主党やリベラル系団体に4000万ドル以上寄付している。それは民主党の主張を支持するというよりは、金融の規制を求める民主党に対する発言権を強めるためで、同時に共和党にも寄付している。
しかし、それは他人の金だった。FTXで取引をするには、アラメダ社に入金することになっていたが、その顧客の金をSBFたちは勝手に使って投資や寄付をしていた。当時は暗号資産も株価も上がり続けていたので、それで得た利益で返すつもりだったらしいが、2021年末から株もビットコインも急落し始めた。SBFらは大変な含み損を抱えたが、その分を粉飾した。FTTを発行して埋めたのだ。預かったお金を使っちゃったので、自分でお金を作りました、みたいな……。

それが11月にバレた。暗号資産ニュースサイト「コインデスク」によって暴かれた。顧客はパニックを起こして金を引き出そうとしたが、引き出せるわけがない。FTXもアラメダもいっきに崩壊した。しかも崩壊直前に会社から3億ドル以上をSBFが個人的に引き出した形跡もある。SBFは残金は10万ドルくらいだと言っているが。

マスコミと司法は、SBFの恋人だったキャロライン・エリソン(28歳)を探している。キャロラインも両親がMITの大学教授と講師。スタンフォード大学在学中から投資で成功した天才で、SBFと知り合って、24歳でアラメダ・リサーチに入り、2021年にはCEOに就任した。しかし2022年5月には個人的に13億ドルもの含み損を抱えていた。だから粉飾や横領の実態を知っているはずなのだが、現在は行方不明。

☆ ポリアモリーを経験した? ☆

キャロライン・エリソンはネットの人気者だった。「世界最適化計画」というブログで、エリートによる世界の改善を論じたり、Tumblrというsnsで「差別的なジョークを聞くと、ここは自由なんだとホッとするわ」とか「女性解放は間違いだった」などと書いて右派から「いいね」を集めたりしていた。

キャロラインはSNSに「ポリアモリーを経験した」とも書いている。ポリアモリーとは、複数の相手と恋愛または性的な関係を持つこと。「ポリアモリーには中国の後宮のような階級があって、格付けをめぐって争うの」とも書いており、FTXの経営者が10人で共同生活をしていた状況がそうだったのでは？と憶測を呼んでいる。また、「好きな男の子の条件」として「世界の主要国を支配する」とも書いている。彼女にとってそれはSBFだったのかもしれない。

実際のキャロラインは、『ウェルカム・ドールハウス』という映画でヘザー・マタラッツォが演じたヒロインそっくりだが、SNSではファンから「クイーン」と呼ばれていた。まあ、いわゆる「オタサーの姫」ですね。

キャロラインもSBFと同じくオンライン・ゲームオタクだった。ゲーム内通貨と現実のお金の区別がつかなくなったのかもしれない。

FTXの破産処理のために雇われた弁護士ジョン・J・レイ3世はエンロンの詐欺も処理したベテランだが、「私の長いキャリアを通しても、これほどの企業統治の失敗と、財務資料の欠如は見たことがない」と呆れている。こどもの会社ごっこのようにデタラメだったのだ。

共和党初のゲイ議員は
学歴、職歴、資産
おまけに民族も
全部ウソ！

2023年1月19日号

ジョージ・サントス（34歳）は共和党のホープだ。白人ばかりの共和党には珍しく、ブラジル系でユダヤ系。しかも、共和党としては史上初の、ゲイを公表して選挙で当選した下院議員。自らを「アメリカン・ドリームの体現者」と呼ぶ若き起業家で、その経歴は波乱万丈きわまりない。

サントスは1988年、ニューヨークの下町クイーンズでブラジルからの移民夫婦の間に生まれた。母方の祖父母はウクライナ生まれのユダヤ系で苗字はザブロフスキー。ナチスドイツのホロコーストから逃れて、ブラジルに移住した。また、父方の祖先にはアフリカのアンゴラ出身者がいる。

サントスは成績優秀で、高校は名門の私立校ホレス・マン高校に進学したが、2008年の金融危機で両親が財産を失い、退学せざるを得なかった。

また、その頃、母親を亡くす。母は金融会社の幹部で、世界貿易センターに勤務していたが、2001年の9・11テロでセンタービルは倒壊。寸前に避難したものの、瓦礫の粉塵を吸引し、数年後にガンで亡くなった。

そんな悲劇にもくじけず、サントスは一流のビジネススクール、ニューヨーク市立大バルーク校と名門ニューヨーク大学を卒業、金融会社シティグループに就職し、不動産部門の資産マネージャーを務めた後、投資銀行の最大手ゴールドマン・サックスに転職した。

サントスは2013年に独立して不動産会社デボルダー・オーガニゼーションを立ち上げて成功し、邸宅を含む13の不動産を所有している。

また、サントスは、非営利の動物愛護団体「フレンズ・オブ・ペット・ユナイテッド」を立ち上げ、哀れな2400頭の犬と280匹の猫を救助した。

2022年の中間選挙で、サントスは共和党から下院選に出馬した。ドナルド・トランプを支持し、2020年の大統領選挙でトランプを倒したバイデンを「病的な嘘つき」と批判した。

サントスの選挙区はニューヨークで、リベラルで、住民の20%がユダヤ系なので、従来、民主党が強かった。だが、ユダヤ系のサントスは見事に議席を勝ち取った。

ところが、当選から1カ月後の12月19日、地元ニューヨーク・タイムズ紙が、サントスが公表していた経歴が何もかもデタラメだと暴露した。

まず、サントスの母方の祖父母はブラジル生まれで、ユダヤ系ということや、ザブロフスキーという苗字であること、父方のアンゴラ云々には何の証拠もなかった。

母は金融会社の幹部だったことは一度もなく、ずっと家政婦として働いていた。もちろん9・11テロに遭遇した証拠もない。2016年に亡くなるまで英語は話せなかった。

華々しい学歴は全部嘘で、サントスは大学どころか高校も卒業していない（高卒認定を取得）。19歳の頃は、母と一緒にブラジルで暮らしていた。そこで母が訪問介護をしていた客の家から小切手を盗み、700ドルの買い物をした。ブラジル警察は小切手詐欺でサントスを起訴したが、彼はアメリカに逃げた。

シティグループにもゴールドマン・サックスにもサントスが在籍した記録はなかった。サントスが実際に勤務したのはハーバー・シティ・キャピタルという投資信託会社だったが、同社は現在、1700万ドルにおよぶ投資詐欺容疑で調査されている。サントスを入社させたぐらいインチキな会社だからね。

サントスが立ち上げた不動産会社デボルダー・オーガニゼーションは実在するが、業務の実績がなかった。サントスが所有しているという13の不動産も存在しなかった。それどころか、立候補する2年前、2020年のサントスの年収はわずか5万5000ドル（当時のレートで600万円弱）だった。

サントスは2015年にアパートを家賃未払いで立ち退きさせられている。未払いの理由を家主に「路

上で強盗に家賃を盗られた」と説明したが、警察には届け出ていない。滞納した家賃はまだ支払われていない。

☆　1つだけ、嘘でなかったこと　☆

サントスの動物愛護団体も登録がなかった。寄付集めのイベントは実際に開催していたが、どこかに寄付した形跡はなかった。

嘘でなかったのは「ゲイ」だという告白ぐらいだった。ただサントスは2019年まで女性と結婚していた。本人は「性的指向が変わった」と言ってるけどね……。

ユダヤ人だと詐称した件について共和党ユダヤ連合はサントスに説明を求めた。

サントスは「私はいちども自分がユダヤ人 Jewishだとは言ってません」と言い訳した。「ユダヤ人っぽい Jew-ishと言っただけです」って、あんたねえ……。

サントスは「たしかに自分は履歴を粉飾しました」と認めたものの、辞職の意思を示していない。共和党からも辞職を求める声は上がらない。下院で共和党は過半数とはいえ、民主党との議席差はわずか9なので1議席でも失いたくないのだろう。

でも、1月3日の初登院では、議員は誰一人、サントスに話しかけないばかりか、近づきもしなかった。彼と一緒にカメラに撮られると票が減るから。政治的えんがちょ状態。

それでもサントスは実にアメリカ的だ。フィッツジェラルドの『グレート・ギャツビー』のギャツビーは貧しい田舎の青年が経歴を詐称し、犯罪に手を染めてアメリカン・ドリームの成功者を演じた。サントスが信奉するドナルド・トランプも名門ウォートン校への入学は裏口入学だったし、大統領選に出馬するまでは何年も本業では赤字続きでロクに税金も払っていなかったしね。

アイダホの猟奇殺人 犯人逮捕の決め手はDNAデータベース

2023年1月26日号

10年以上続くこの連載でアイダホ州について書くのは初めてだ。何も起こらない州だから。

アイダホは山と森と湖の州。アイダホ・ポテトで知られるように農業と林業が中心。全米で最も犯罪の少ない州の一つ。アイダホ大学のあるモスコー市でも7年間、殺人事件はなかった。だから、今回の被害者たちも家のカギをかけなかったのかもしれない。

11月13日午前4時頃、アイダホ大学の女子学生Aさんは犬の鳴き声で目が覚めた。Aさんは女子学生6人で共同で一軒家を借りて暮らしていた。上の階から誰かがすすり泣く声が聞こえた。そして、男の声が「だいじょうぶ、助けるよ」と言っている。

怖くなってドアを開けると、真っ暗な廊下の向こうに黒ずくめの男が立っていた。スキーマスクの目の穴から、フサフサした眉毛が見えた。あわててドアを閉めてカギをかけると、男はドアを通り過ぎて、家から出ていった。

Aさんは怖くて、そのまま何時間も動けなかったが、朝、だいぶ経ってからようやく警察に通報した。駆けつけた警察は2階と3階で、ナイフで刺殺された4人を発見した。

ケイリー・ゴンカルブス（21歳）とマディソン・モーゲン（21歳）は小学校からの親友同士だった。ザナ・カーノドル（20歳）はボーイフレンドのイーサン・チャピン（20歳）を部屋に泊めていた。ザナは直前までTikTokをいじっていて起きていた。Aさんが聞いたすすり泣きは彼女のものらしい。他の3人は眠ったまま刺されていた。

よくある学園スラッシャー映画の再現のような事件だった。

犯人は1カ月経っても特定されず、捜査の進展の発表も何もなかった。「のんびりした田舎で、犯罪捜査に慣れていないからだ」とモスコー警察を責める声も増えた。娘を殺された遺族の不満も募る一方だった。

ところが事件から7週間後の12月30日、現場から2000マイルも離れたペンシルヴェニア州で突然、容疑者が逮捕された。ブライアン・コーバーガー（28歳）。現場から西に7マイルも離れた隣の州、ワシ

ントン州立大学の学生だった。この2カ月近く、モスコー警察は密かに、だが着実に犯人を追い詰めていたのだ。
殺人現場には凶器となったナイフの革製の鞘が残されていた。また、現場の近くの道路の監視カメラに白い乗用車が何度も映っていた。この2つが手がかりだった。
警察は現場周辺の他の監視カメラを調べて、その白い乗用車のゆくえを追跡し、ワシントン州立大学を突き止め、学校を調査して、それがコーバーガーのものだと特定した。免許証の写真のコーバーガーの眉毛はフサフサしており、目撃者の証言と一致する。
また携帯電話会社にコーバーガーの携

帯のGPS記録を提出させると、彼が犯行の半年前から12回も現場の家の前にいたことがわかった。その頃から狙っていたらしい。

しかし、これでは状況証拠にしかならない。逮捕するには物的証拠が必要だが、見つかったのはナイフの鞘だけ。その鞘を止めるホックから犯人の細胞の一部が採取され、DNAが検出された。

今度はそれをコーバーガーのDNAと照合するのだが、彼には過去に犯罪歴が無く、DNAのデータは警察に保存されていない。そこでモスコー警察はペンシルヴェニア警察の協力を仰ぎ、実家のゴミを回収させた。ゴミの中からコーバーガーの父親のDNAが検出され、それは99・9998%の確率で、犯人の父親のものだった。コーバーガーが実家に戻ると4日間、警察は彼を監視し、ついに室内にドアと窓から突入して逮捕した。

☆ 世界的な血統図を構築 ☆

ここ数年、アメリカではDNAを用いた捜査方法が急激に発達し、過去の迷宮入り事件が次々と解決している。たとえば、1974年から1986年にかけてカリフォルニア州サクラメント周辺で50人以上をレイプし、うち少なくとも13人を殺し「ゴールデン・ステート・キラー」と呼ばれた連続殺人鬼は30年以上経った2018年に逮捕された。警察が現場に残されたDNAデータを、家系図サービスにアップロードしたのだ。

アメリカにはアンセストリーやGEDマッチなどいくつもの家系図サービスがある。税金申告書に記載された家族情報とDNA情報の組み合わせによる膨大な家系（血統）データベースを構築し、アメリカはもとより、アジア、アフリカまで、すべての人の数十代におよぶ世界的な血統図を構築している。

たとえば、メキシコ系アメリカ人の女優エヴァ・ロンゴリアと、中国系のチェリスト、ヨーヨー・マが遠い遠い親戚である事実を突き止めた。アジア北部で南下したマの家系が、北上してベーリング海峡を越えてアメリカ大陸に渡り、メキシコまで南下した家系がロンゴリアにつながった。

ゴールデン・ステート・キラーのDNAから家系図が特定され、その中から、警察は犯行時にサクラメント周辺に住んでいた者を特定し、ジョセフ・ディアンジェロ（77歳）を逮捕した。彼は事件発生時、警察官だった。

アイダホの殺人犯、コーバーガーも刑事司法と犯罪学の博士課程にいて、警察の実習生に応募していた。今のところ、殺人の動機は発表されていない。犯罪学の実験として殺したのだろうか。

DNA血統データベースと監視カメラ、携帯電話データの組み合わせで彼が逮捕されたのはいいけど、データ監視社会の完成形という感じでちょっと怖い。宮台真司さんを襲った犯人が今も捕まらない（1／13現在）日本って、アメリカよりかなり遅れてるみたいね。

自伝で「25人殺した」と告白したヘンリー王子は12歳の少年か

2023年2月2日号

「アメリカって住むには最高だね！」

そう言って笑うハリー王子に、ニューヨークの観客は拍手喝采した。彼はCBSテレビの番組『ザ・レイト・ショー』に出演して、司会のスティーヴン・コルベアとテキーラで乾杯した。

ハリーことヘンリー王子は英国の王子でサセックス公爵、しかし王室を離脱し、2020年からアメリカ人の妻メーガンと2人の子供と共にカリフォルニア州のサンタバーバラに住んでいる。好物はもうスコッチとフィッシュ&チップスではなく、テキーラとハンバーガーだという。

番組でハリー王子が座る椅子の横には、もう1人のゲストであるトム・ハンクスが座ることになっている空の椅子があった。それを指差してハリーはこう言った。

「この椅子はスペア（予備）？　僕のこと？」

ハリー王子はこの日、自伝『スペア』を発売した。その本のなかで彼は、次男である自分は、長男であるウィリアム王子のスペアにすぎない、と感じてきたと書いている。

『スペア』は英・米・カナダで発売即140万部を超えるベストセラーになったが、発売前から、あまりに率直すぎる書き方が物議を醸していた。

ハリーは大学生の頃、タブロイド紙に「不良王子」と書かれたこと、つまり連日、酒やドラッグに溺れていたのは事実だと認める。また、童貞を捨てた経緯（年上の女性に誘われて酒場の裏の草の上で）や、北極点への200マイル踏破にチャレンジした時にペニスが凍傷になったことまで書いている。

北極点チャレンジは、傷痍軍人支援のチャリティ・イベントとして行われた。ハリーは英国軍人としてアフガニスタンに従軍し、攻撃ヘリの銃撃手としてタリバンの兵士25人を射殺したという。

「その25人を僕は人間と考えなかった。人間と考えたら殺すことはできない。彼らはチェスの駒にすぎない。善良な人を殺す前に悪党どもを取り除くのだ。そのように敵を非人間化するように僕は訓練された」

この記述には「でも兵士は人間であって駒じゃない」と批難が殺到した。ハリーは『ザ・レイト・ショー』で、「あれを書いたのは、（戦場で人を殺した罪悪感でPTSDを負った）退役軍人の自殺を防ぐためです」と弁明した。

もちろん、最も問題になっているのは、英国王室内の描写だ。ハリーは英国のタブロイド紙のメーガン・バッシングには、アフリカ系アメリカ人である彼女を排除しようとする王室内の人間が関与していると断言する。

なかでも衝撃なのは、メーガンのことを批判した兄ウィリアムとキッチンで口論になるシーンだ。「ウィリーは僕の胸ぐらをつかんで床に押し倒した。床に置いてあった犬用の餌のボウルが背中で割れて、破片が食い込んだ」

また、父チャールズに対しても「カミラとつきあうのは許すが、結婚だけはしないでほしい。王妃として戴冠させないでほしい」と願ったが、裏切られたと書いている（今年5月に戴冠式）。

『スペア』は「金目当てだ」と批判されている。ハリーはこの本の印税で27億円、さらに、Netflixで放送されたドキュメンタリー『ハリー&メーガン』ではプロデューサーとして200億円を手にしたという。王室を離脱して英国からの公金が支給されなくなった以上、自力で稼ぐ必要はあるのだろう。父の土地の不動産賃貸料として年に3億円近くを受け取り続けるのだが。

書評も手厳しい。英国の保守系新聞タイムズ紙は、「400ページに及ぶハリーのセラピー記録」、米ウォール・ストリート・ジャーナル紙は「半狂乱」、米ワシントン・ポスト紙は「ハリーはタブロイド紙を憎みながら、タブロイド紙にスキャンダルを提供している。プライバシーを守れと言いながら、兄や父のプライバシーを侵害している」と矛盾を指摘する。

☆「少年の悲しい物語」☆

さらにワシントン・ポスト紙は、父や兄への愚痴を書き散らすハリーを「母を亡くした12歳の少年のまま精神的に成長していないかのようだ」と評した。英ガーディアン紙も『スペア』を「母の死から立ち直ることができなかった少年の悲しい物語」と書いている。

想像してみてほしい。12歳で、自分の母親がパパラッチにカーチェイスされて事故死する体験を。

「自動車の残骸のなかで瀕死の母をパパラッチは助けようともせずにただ撮影し続けた」

母の死を知らせに来た父チャールズは

一滴の涙も流さず、ハリーを抱きしめもしなかった。

その後、ハリーの本当の父はチャールズではなくダイアナの不倫相手だった乗馬のコーチ、ジェームズ・ヒューイットだと噂された。ハリーの赤毛が彼と似ていたから（実際はダイアナが不倫したのはハリーを生んだ後）。チャールズもハリーに向かって「お前は俺の子じゃないな」とジョークを言った。どうかしてる。

誰も守ってくれない王室で、ハリー少年はこう考えるようになった。ママは死んだふりをしてどこかに隠れただけだ。いつか僕を助けに来てくれる。

そんなハリーだから学生時代にはドラッグに溺れ、軍に身を投じて敵兵に怒りをぶつけたのだろう。そんなトラウマに苦しむハリーにセラピーを勧めてくれたのはメーガンだった。

『スペア』は自分はスペアにすぎないと思った少年がアイデンティティを求めてもがく旅の記録だ。だが、王室から出た後ではもう唯一無二のハリーとして生きていくしかない。

ちなみに『ザ・レイト・ショー』でハリー入場のＢＧＭに使われた歌はアルバート・キングのブルース「悪い星の下に生まれて」だった。

フロリダ州知事ついに学校で黒人の歴史を教えるのを禁止

2023年2月9日号

自分の住んでいるカリフォルニア州バークレーでは2019年からガスコンロが禁止になった。

禁止する理由は有害な化学物質が出るから。最も多いのは、有機溶剤としておなじみのベンゼン。調理器具から出るベンゼンは微量だが、体内に蓄積されると、小児喘息やガンの原因になるという。また、地球温暖化を引き起こすメタンも発生する。

そこでバークレー市は新築の住宅や商業用ビルにガスコンロを設置することを禁止した。火力が必要なレストラン業者は抗議しているが、バークレー以外の市にもガスコンロ禁止法は広がっている。

去年の秋には全米消費者製品安全委員会

でも議題として取り上げられた。

これに共和党がかみついた。テキサス州のロニー・ジャクソン下院議員が「ガスコンロを取り上げたいなら、俺を殺してからにしろ」とツイート。フロリダ州のロン・デサンティス州知事は「フロリダを踏むんじゃない。ガスコンロに手を出すな」とツイート。「俺を踏むんじゃない」というスローガンは、アメリカが英国の植民地だった時代に独立戦争を起こした人々が掲げたもの。ガスコンロごときに大げさすぎ！

ガスコンロを禁止してるのは「市」であって、国どころかまだ州レベルでは動いてないし、別に民主党が党として推進しているわけでもない。共和党は火のないところに煙を立てたいのだろう。

特にデサンティスはあちこちにケンカを売ることで人気を集めてきた。先日はアイスホッケーに因縁をつけた。

ＮＨＬ（全米プロ・アイスホッケー・リーグ）は、２月にフロリダ州マイアミ郊外で行う求人説明イベントのため、こんな広告をネットに出した。

「参加者は18歳以上で、アメリカに住所を持ち、女性、アフリカ系、アジア太平洋系、ヒスパニック、先住民、ＬＧＢＴＱＩＡ＋、障害を持つ人に限る」

ＮＨＬがそんな募集をしたのは、選手の93％が白人なので多様性に欠けた組織だと批判され続けてきたから。マイノリティの雇用を増やしてバランスを取ろうとしたわけだ。

ところが、デサンティスはこの求人説明イベントに抗議した。デサンティスの報道官ブライアン・グリフィンは公式にこうコメントした。

「フロリダ州はいかなる差別も歓迎しません」

え？　この求人広告は雇用差別を是正するためだけど？

「我々は、WOKEの考えに従いません」

WOKE（ウォク）とはWAKE（目覚めた）の訛りで、最近は、マイノリティの権利やフェミニズムに意識的なことを揶揄する言葉になった。そしてデサンティス州知事は2022年4月、通称ストップWOKE法（正式には個人の自由法）という州法に署名した。その法では、学校や企業が「この社会に、マイノリティに対する差別がある」と教員や社員に教育することを禁じる。

アメリカの各企業では差別やセクハラについての社員教育が広がってきたが、それを禁止するのがこの州法の目的。彼らの本音は「白人男性を差別するな」ということだろう。そして、NHLの求人広告はストップWOKE法に反するというわけだ。

これでデサンティスは保守層の圧倒的支持を受け、ストップWOKE法は、州知事が共和党に所属している南部の州でも採用されつつある。

さらに1月12日、デサンティスはフロリダの大学入学試験委員会にAPAASを承認しない、とする書簡を送った。APAASのAPは「Advanced Placement」、つまり大学の単位として認められる高校の授業のこと。AASは「アフリカ系アメリカ人研究」。つまり、デサンティスは「黒人の歴史を教える授業はストップWOKE法に反するから認めない」と宣言したのだ。

☆ 黒人の町が消滅した歴史 ☆

黒人の歴史を学べば、アメリカに黒人差別がある事実は明白になる。特にフロリダはひどい。そもそもジャングルと湿地帯だったフロリダに鉄道を通して開発したのは石油王ヘンリー・フラッグラーだった。その労働力は他の南部の州から借りてきたチェーン・ギャング（刑罰として強制労働させられる囚人）、彼らの多くが黒人だった。彼らは無給で酷使され、ワニに食われ、蚊に刺されてマラリアにかかり、多くが命を失った。

その後も黒人たちはフロリダの畑や工場で働いたが差別は続いた。1923年1月1日、黒人200人が暮らす町ローズウッドが白人暴徒に襲われた。白人女性が黒人に襲われたというデマが原因だった。殺された黒人たちは埋められ、家は焼かれてローズウッドは消滅した。首謀者はKKKに所属する保安官で、誰も逮捕されなかった。70年後の1993年にフロリダ州は再調査し、虐殺の事実を認め、遺族に賠償をした。正確な犠牲者数は今も不明だ。

1951年12月25日のクリスマスには、フロリダ州ミムズに住む黒人の人権運動家ハリーとハリエット・ムーア夫妻が自宅で結婚25周年を祝っていた時、爆弾で殺された。誰も逮捕されなかった。事件から53年後の2004年にFBIの捜査で犯人は4人のKKKメンバーだと判明したが、高齢または既に死亡しており、誰も罰せられなかった。

こういう血塗られた歴史を学ばせない、というデサンティス州知事の報道官グリフィンはひと言、こうツイートした。

「フロリダはWOKEが死ぬところ(Florida is where woke goes to die.)」

目覚めた者が死ぬところなら、そこにいるのは寝ぼけた奴らばかりだろうね。

「妻は国際的犯罪者」と妄想するオヤジが自分を演じるドラマで感動する？

2023年2月16日号

「僕だって信じられなかった。こんなとんでもない話、でっち上げられるわけがない。何もかも真実なんだ」

ポール・T・ゴールドマンはカメラに向かって言う。還暦すぎた、いかにも気の弱そうなおっさん。しかし、彼は国際的陰謀と戦って世界を駆けるヒーローなのである。

1月に配信された『ポール・T・ゴールドマン』は、フロリダの平凡な塗装業者ポールの驚くべき体験をポール本人が演じる、ノンフィクション・ドラマだ。

ポールはバツイチで、男手一つで息子ジョニーを育てていたが、彼のために母親が必要だと見合いサイトを使って、オードリーという3人の子を持つシングルマザーと出会った。ポールはオードリーに一目惚れしてプロポーズしたが、オードリーは実家で母親を介護しているので、週に3回だけ会うパートタイム結婚ならOKという。その条件を呑んでポールはオードリーと結婚したが、4カ月後、オードリーにこんなことを言われる。

「セックスは週に1度にしてほしいの。週2回以上は異常だわ」

さらにオードリーは、ポールの持つ不動産の名義を自分にしろだの、自分の家族の健康保険料を払えだの、いろんな要求をしてきた。

オードリーに言われた小切手の送り先の保険会社をポールが訪ねると、そこにあったのは保険会社ではなくトレーラーハウスだった。調べると住んでいるのはオードリーだった。

ポールは弁護士を使って、オードリーの携帯電話の通話記録を手に入れた。すると、彼女は毎日10回以上も、ある番号に電話していた。結婚式の当日も。その電話番号をネットで検索するとロイス・ロッコという男が出てきた。

「なんでこいつに毎日電話を？」

ポールはオードリーの前夫を呼び出して尋ねた。彼は言った。

「ロッコはオードリーのヒモだ。オードリーはコールガールなんだ」

それだけではない。オードリーはポールと結婚した後も頻繁に客を取り、二重生活をしていた。そればかりかロイス・ロッコと共にコールガールを派遣する「マダム」だった。さらにロッコはアジアから女性を密入国させる国際的人身売買に関与していた。「俺は臆病者じゃない！」ポールは勇敢にもそれをＦＢＩに通報する……。

ポールを演じるポールの演技はド素人だが、彼以外はプロ。オードリー役は『ダークナイト』にも出演したメリンダ・マックグロウ。ＦＢＩ捜査官は『24』で大統領を演じたデニス・ヘイスバートなどＡ級の俳優をそろえている。監督はサシャ・バロン・コーエンがトランプの弁護士ジュリアーニをハメたどっきり映画『続・ボラット』のジェイソン・ウォリナー。ポールは自分の体験を『二重生活』という本に書いて自費出版し、それを自分で脚本にして、いろんな映画監督に片っ端からツイートし、興味を示したウォリナーがドラマ化した。

ただ、この『ポール・Ｔ・ゴールドマン』はいわゆる普通の「ドラマ」ではない。本物のポール・Ｔ・ゴールドマンがハリウッド女優のマックグロウとベッドシーンを演じながら「でへへ」と照れ笑いし、カメラマンや照明や音声さんがつられて笑うのをまるごと見せる。ポールの最初の妻役を決めるオーディションも見せてしまう。しかも、最初の奥さん本人が立ち会って演技指導する。本番中にウォリナー監督が「カット！」と撮影を中断して「このシーンは本当？」と疑う。ポールは「いや、ここは作った」と認める。そのたびに「全部真実」と言っていたのが、「99％真実」、「97％真実」とディスカウントする。

☆ 急に登場する「占い師」 ☆

ポールは裁判でオードリーとの離婚は認められたが、その愛人ロッコの国際的人身売買云々の部分は却下され、ＦＢＩからも無視される。ポールは私立探偵を雇い、自分自身もロッコのゴミ箱を漁ったりして証拠を集めたのに。占い師もオードリーはコールガールに違いないと言ってたのに……。

占い師？

そう、オードリーとロッコに対するポールの疑惑は、占い師に煽られた彼が膨らませた妄想にすぎないのだ。占い師は相手の反応を見て相手が喜ぶことを言うからね。

『ポール・Ｔ・ゴールドマン』のオードリーとロッコは黒幕のマフィアに爆弾で

殺される。

「夢がかなった」と満足そうなポール。自分の願望を脚本にしただけだから。

「脚本通り撮り終えたよ」と監督に言われたポールは「その先があるんだ」と続編の脚本を手渡す。ポールは、国際的陰謀との戦いを決意し、ロンドン、パリ、モスクワを駆け巡り、クンフーを使い、マシンガンを撃ち、飛行機からジャンプする。息子ジョニーも成長して正義のために戦い、今から15年後の近未来、ディストピアと化した世界でも、ゴールドマン親子は戦い続ける……。

アホか、と思うが本人は大真面目のポールの勝手な妄想を、ウォリナー監督は律儀に映像化してあげた後で、ポールにビデオを見せる。ポールが国際的人身売買組織のボスと決めつけたロイス・ロッコとその周辺に取材し、ポールの陰謀論がまったくのデタラメであることを監督が検証したビデオだ。オードリーはコールガールではなく、ただ浮気性なだけで、ロッコはただのセフレだった。

「こいつらは嘘つきだ！」ポールは最初、その内容を拒絶したが、次々と証拠を突きつけられて、ついには自分の間違いを認めた。

「多くの人の名誉を傷つけてしまった。申し訳ない……」

ところが、こんな話が最後は涙がとまらない感動のラストになる。いや、ホントだってば！

SEXビデオと男運の悪さで消えたパメラ・アンダーソン奇跡の復活

2023年2月23日号

50代半ばの女性。自宅でVHSビデオの山から一本抜き取ってデッキに入れる。ホームビデオの荒れた画質で、輝く銀の甲冑を着たハンサムな男性が白馬に乗って現れる。

トミー・リー。80年代に大人気だったメタルバンド、モトリー・クルーのドラマーだ。

「姫、結婚してください」

そうプロポーズされるのはビデオの撮影者、つまり、トミー・リーの妻になる女優パメラ・アンダーソン。

Netflixのドキュメンタリー『パメラ・アンダーソン、ラブ・ストーリー』は、90年代のセックスシンボルだったパメラが撮影してきた膨大なホームビデオの映像と、ずっと書き続けてきた日記を基にしたパメラの半生記。彼女は同時に回顧録『ラブ、パメラ』も出版した。ゴーストライターは使ってない。とにかく筆マメなのだ。

パメラとトミー・リーは95年に出会い、4日後に結婚した。だが、二人のセックスを撮ったビデオが自宅から盗まれ、それが販売されてしまった。そのドタバタをめぐるドラマ『パム&トミー』も2022年に作られた。パメラの許可なしに。だから、彼女は当事者として自分の人生を語る必要があると思ったのだ。

幸福とはいえない育ちだった。1967年、カナダのバンクーバー市対岸のレディスミスという人口8000人の田舎町に生まれた。パンケーキ屋のウェイトレスだった母は17歳、父は19歳で煙突掃除など職を転々とし、酒浸りで母をよく殴った。

パメラは6歳から10歳の頃、子守の女性に性的にいたずらされた。12歳でレイプされ、14歳で輪姦された。高校を卒業して、家を出て、対岸のバンクーバーに行った。

1989年、地元のフットボールチームの試合を観に行った時、試合中継のカメラが彼女を映した。それを見たビール会社がパメラをキャンペーン・ガールに起用。その広告を見たプレイボーイ誌から招待され、生まれて初めてアメリカに行き、髪をブロンドに染めてヌードを撮影した。もらったギャラでパメラはFカップに豊胸した。

92年、パメラはテレビドラマ『ベイウォッチ』で、ライフガード（海水浴場の監視員）役に抜擢された。

彼女の真っ赤なハイレグの水着姿で『ベイウォッチ』の視聴率は跳ね上がり、パメラは世界的なスターになった。トミー・リーとの間に2人の息子も生まれ、幸福の絶頂だった。

ところが97年、パメラ&トミーのセックス・ビデオが発売された。それは95年、電気工事職人がリー家に忍び込んで盗み出した金庫の中にあったものだった。ビデオは当時普及しつつあったインターネットで通販されて、爆発的に売れまくった。もちろん完全に違法だ。

夫婦は警察に訴え、犯人も逮捕されたが、ビデオはインターネットで世界中に拡散されてしまった。パメラたちは世界的な笑いものになった。夫婦仲は悪化し、ついにはトミー・リーが妻と息子に暴力を振るって逮捕され、禁錮6カ月の実刑。離婚した2人は子どもたちの親権をめぐって長らく争った。

その後も男運は良くなかった。2006年7月、パメラは4歳年下のロック・ラッパー、キッド・ロックと再婚するが、早くも11月には離婚。離婚の理由は、サシャ・バロン・コーエンのコメディ『ボラット　栄光ナル国家カザフスタンのためのアメリカ文化学習』(06年)で、パメラがボラットに誘拐されそうになる役を勝手に引き受けたことにキッド・ロックが怒ったからだという。

☆「いかがわしい男」と結婚☆

その翌2007年、パメラは、リック・サロモンとラスヴェガスで結婚した。サロモンは年に数億円稼ぐポーカー・プレイヤーだが、それよりも2003年にパリス・ヒルトンとのセックス・ビデオを撮った男として知られている。女たらしで博打打ちのサロモンとの結婚は半年で破綻したが、その後、2人はなぜか2014年に再婚して、やはり半年で離婚している。うーん。

2020年1月、パメラとジョン・ピーターズの結婚が発表された。

ピーターズほどいかがわしい男もいない。14歳で家出して、女性の陰毛を染める商売を始め、ロサンジェルスで美容師になり、歌手バーブラ・ストライサンドの恋人となり、音楽のど素人にもかかわらずストライサンドのアルバム『バタフライ』(74年)のプロデューサーとなり、その勢いでストライサンドの主演映画『スター誕生』（76年）のプロデューサーになり、映画会社ワーナー・ブラザースに食い込み、『スーパーマン』『バットマン』をプロデュースするハリウッドの大物になった。映画『リコリス・ピザ』（21年）ではブラッドリー・クーパーがピーターズを演じ、自動車を破壊しながら叫んでいた。そんなイカれた男と結婚したパメラだが、やっぱり別れた。12日後に（婚姻届は出していなかった）。

その7カ月後、パンデミックの最中、パメラは自分のボディガード、ダン・ヘイハーストと結婚したが、コロナが収まるとすぐに離婚した。おいおい。

このドキュメンタリーのラスト、パメラは54歳でブロードウェイ・ミュージカル『シカゴ』に挑戦する。ずっと男の言いなりで生きてきた女性ロキシーが、自分を騙した男を殺して裁判にかけられたことで目覚めていく物語で、デビュー以来30年近く大根役者と言われ続けてきたパメラは、ロキシーの苦しみと喜びを見事に演じて批評的にも興行的にも大成功する。

「私は犠牲者じゃない。サバイバーなのよ」

高齢大統領に対する苛立ちが生んだ暗黒バイデン「ダーク・ブランドン」

2023年3月2日号

一般教書演説は、アメリカ大統領が現在の政治状況と今年の目標を国民に報告するもので、今年も2月7日に行われた。

議会にそろった全上下院議員のなかでひときわ人目を引いたのは、トランピストの最右翼、マージョリー・テイラー・グリーン下院議員（ジョージア州）。他の議員たちが皆、ダークスーツのなかで、彼女だけはフワフワの襟がついた真っ白なコートで、ディズニーの『101匹わんちゃん』の悪女クルエラみたい。

グリーン議員は去年の一般教書演説でもバイデンに野次を飛ばしまくって注目を集めた。今年もやる気満々らしい。

「私がこの2年で生み出した雇用は12

00万件。それは、歴代大統領史上、最多です」

その日、バイデンは怒濤のように政権の成果を挙げていった。

「現在の失業率は3・4%、50年ぶりの低水準」

「製造業では80万人の仕事を生み出しました」

「2020年、アメリカの上位55位までの大企業は年間400億ドルも稼ぎながら、払った法人税はゼロ。不公平です。だから私は10億ドル規模の企業に最低15%の税を義務づける法律を作りました」

「アメリカ人の10人に1人は糖尿病ですが、インシュリンを売る大手製薬会社は1人あたり月に400〜500ドルも請求し、記録的な利益を上げてきました。しかし、新しい法律で、今年の1月1日から、メディケア（高齢者向け公的医療援助）加入者のインシュリン費を月に35ドルに制限しました」

「しかし、この大切なメディケアや社会保障（アメリカの公的年金制度）を終わらせよう、と主張する人が共和党にはいます」

共和党の右派は実際、以前からメディケアと社会保障を廃止しようとしてきた。福祉は社会主義的だという理由で。

「うそつき！」

予想通りマージョリー・テイラー・グリーン議員が叫んだ。しかし、去年と違ってバイデンは彼女の野次を無視しなかった。

「たしかに共和党の多数派ではありませんね。では、共和党の皆さんはメディケアと社会保障を廃止しないでくれますね？」逆にバイデンは問いかけた。意表を突かれて誰も返事できない。「よかった。では全会一致ですね！」

なんと言質を取ってしまった。

続いてバイデンはフェンタニルというオピオイド（アヘンを原料とする鎮静剤）問題について話した。

「フェンタニル中毒で、年間7万人以上のアメリカ人が死んでいます」

「あんたのせいだ！」グリーン議員がまた叫んだ。実際はフェンタニル中毒死はトランプ政権下で急激に増加したのだが、バイデンは反論せずに「わかりました」と答えた。「では、一緒にフェンタニル生産と販売と密売を止めましょう」

共和党は大手製薬会社におもねってオピオイド規制に甘かったのだが、これも言質を取った。

グリーン議員のフワフワのコートについて、彼女の広報は「アメリカ領空を侵犯した中国のスパイ気球」を意味しているとコメント。彼女は民主党は中国に対して腰が引けていると主張してきた。

「中国によってアメリカの主権が脅かされれば、我々は行動します」とバイデンが演説するとグリーン議員は「中国はアメリカをスパイしてるわ！」と野次。すかさずバイデンは「だから我々はやりました」と答えた。3日前、バイデンは中国の気球をF22戦闘機のミサイルで撃墜した。バイデンは野次も全部撃ち落とした。

☆〝ブランドン〟の元ネタ☆

バイデンは80歳になり、民主党内部からも、2024年の大統領選挙には出馬しないでという声が出てきているが、この一歩も引かないタフな対応は、アメリカを驚かせた。USAトゥデイ紙のレックス・フプキ記者はこう書いた。

「ダーク・ブランドンが登場し、共和党員で床をモップがけした」

「床をモップがけする」とは「(相手に)完勝する」という意味。では、「ダーク・ブランドン」とは?

敵を倒すためなら手段を選ばない、強くてワルなバイデンのことだ。

その起源は2021年10月、アラバマ

州タラデガで開かれたストックカーレースNASCAR。テレビ中継が始まると観客席から「ファック・ジョー・バイデン！」とシュプレヒコールが上がった。前年の選挙で勝ったバイデンを恨むトランプ支持者たちだ。ファックは放送禁止用語だからテレビキャスターは「お客さんがレッツ・ゴー・ブランドンと言ってますね」とごまかした。ブランドンは人気レーサーのブランドン・ブラウンのことだが、この事件以来、「レッツ・ゴー・ブランドン」が「ファック・ジョー・バイデン」を意味するスラングになった。

2022年7月末、バイデン大統領はアルカイダの指導者アイマン・ザワヒリをドローンで爆殺した。すると「ダーク・ブランドン」なる言葉がネットに登場した。そこには、暗闇のなかでバイデンの目が邪悪に輝く絵が添えられていた。

トランプや共和党とその支持者たちのやりたい放題に黙って耐え続けるバイデン大統領に対する支持者の苛立ちと願望がダーク・ブランドンを生み出した。ネットでは葉巻をふかして不敵に笑うバイデンや、手から稲妻を発するバイデンなどの暗黒バイデンのコラージュが次々に生まれた。

もちろんこれはバイデンがそんな人ではないから通じるシャレ。実は去年5月にトランプのスローガンMAGA「アメリカを再びグレートに」に「ダーク」をつけた「ダークMAGA」運動があったけど、全然流行らなかった。最初から真っ黒だからねえ。

有毒ガス輸送列車が脱線転覆 100両編成で乗務員2名！

2023年3月9日号

アダム・ドライバーはいつもイラついている。

彼はテレビコメディ『GIRLS／ガールズ』でヒロインのレナ・ダナムの癇癪持ちのボーイフレンドとして登場した。自動車を運転してて、カーラジオの歌に合わせて彼女が楽しそうに歌うと、それだけでイライラして黙ってラジオを叩き壊す。

『スター・ウォーズ／フォースの覚醒』の敵役カイロ・レンに抜擢されても、気にいらないことがある度にライトセーバー振り回して暴れるからトルーパーたちもドン引き。

『マリッジ・ストーリー』では離婚される怒りに壁を殴って穴を開ける。『アネット』ではスタンダップ・コメディアン役だがステージから客を罵倒して落ちぶれる。イライラは役だけかと思ったら、取材されている時も、記者のバカな質問に対するイライラを顔に出してしまう癖があって、その顔を集められてYouTubeでさらされている。

そんなイライラそのものをテーマにしたような映画が新作『ホワイト・ノイズ』（Netflix）。アダム・ドライバー扮するジャックはオハイオ州の大学教授で、ヒットラー研究ではアメリカ一の権威なのだが、実はドイツ語ができず、英訳された文献だけで偉そうにしている。自分の基盤があやふやだからか、いつも不安で落ち着きがない。

そんなジャックの家の近くで貨物列車にタンクローリーが突っ込んで脱線事故が起こる。ちなみにこの列車事故のシーンがスケールがデカくて凄まじい。監督はインディペンデントの小品ばかり撮ってきたノア・バームバックだが、Netflixからもらった製作費1億ドルの大半をこの事故シーンにつぎ込んだみたいだ。

貨物列車は大量の化学物質を積んでいた。オハイオ州は石油化学・重工業が集中しているのだ。化学物質は燃え上がり、有害物質が真っ黒な煙となって空を覆い、雨となって降り注ぐ。それを浴びてしまったジャックの不安は膨れ上がる。自分はガンで死ぬのではないか。

これが現実になってしまった。

オハイオ州イーストパレスティーン村で、2月3日夜9時ごろ、貨物列車が脱線横転し、炎上した。20

台の貨車は塩化ビニルをはじめ、さまざまな化学物質が詰まったタンクを運んでいた。地獄のような炎と黒煙が吹き上がった。

『ホワイト・ノイズ』のロケにエキストラとして参加したベン・ラトナーさんはCNNの取材で「まったく『ホワイト・ノイズ』そのものだ」と言っている。

周辺住民4700人はすぐに避難し、今のところ負傷者はいないが、有害物質はすでに大量に放出された。州政府は危険はないと主張しているが、住民からは頭痛や吐き気などの健康被害、近くのオハイオ川やその流域では3500匹以上の魚の死が報告されている。

危険な化学物質が鉄道で運ばれるのは、

自動車よりも安全だから。1994年から2005年にかけて、鉄道事故での有害物質漏出による死者はわずか14人だが、高速道路事故での流出による死者は116人に上る。

でも、鉄道はタンクローリーの何十倍ものタンクを運べる。だからいったん事故になれば大惨事になる。2005年のサウスカロライナ州の貨物列車脱線では、90トン以上の塩素ガスが放出され、9人が死亡し、1000人以上が曝露し、数百人が肺を損傷した。

鉄道輸送はアメリカの物流の3割近くを占めており、貨物列車はここ10年で25％も長くなった。今回事故を起こした列車はなんと141両編成。全長2マイル（3・2キロ）にもなる。

今回の脱線の原因はホットボックス（軸焼け）ではないかといわれている。つまり車軸の軸受のベアリングが摩擦でオーバーヒートすること。これを事前に察知するため、線路には熱センサーが設置されているが、その間隔が離れすぎていることも多い。

車両側にもセンサーがついているが、乗務員が気づかないことも多い。乗務員が少ないから。100両以上の貨物列車に2人しか乗ってないことも多い。貨物の量が増えているのに、この6年間で鉄道会社は全体で3割もの人員を削減している。利益を拡大するためだ。

☆　原因は企業の利益追求　☆

今回は141両中38両も脱線した。1両の脱線が大量脱線につながらないように、すべての車両が個別にブレーキを同時にかけられるＥＣＰ（電子制御空気圧）ブレーキも既に開発されている。そのＥＣＰを、オバマ政権は、危険な貨物を運ぶ列車に設置するよう義務付けた。でも、今回の列車にはそれがなかった。というのは、２０１７年に大統領になったトランプが、ＥＣＰ設置はコストがかかるという鉄道会社の要望を受けて、その義務を廃止してしまったから。ああ、やっぱりトランプか。

とにかく、今回の列車脱線と有害物質の拡散を引き起こした原因は、企業の利益追求だった。まあ、いつものことだけど。

『ホワイト・ノイズ』というタイトルは、日常に薄っすらと流れる死の不安を意味している。ジャックはそれから逃れるために自ら死んでしまおうとすら考える。

彼を死の恐怖から救うのは、カトリックのシスターのこんな言葉だ。

「死んでも天国なんてものはないんだよ。死ぬのが怖い奴らのでっち上げさ」

それは神の救いとしてジャックを解放する。

この資本主義の世界で生きていくしかないのなら事故とか有害物質もしょうがない。ジャックはあきらめたように巨大なスーパーマーケットで大量の商品に囲まれて踊る。

えー、アダム・ドライバーにはブチギレてスーパーなんかメチャメチャに破壊してほしかったのに。

51歳の女性大統領候補を「旬を過ぎた」と評したCNNキャスターがクビ

2023年3月16日号

GOATはそのまま読むと「ゴート（山羊）」だけど、「史上最高 The Greatest of All Time」の略でもある。GOATのQB（クォーターバック）と呼ばれたアメリカン・フットボール選手が、トム・ブレイディだ。

ブレイディが大学からNFLのニューイングランド・ペイトリオッツに入ったのは2000年。ドラフト6巡目だった。痩せっぽちで、ロングパスの肩もなく、足も速くないブレイディには誰も注目していなかった。ところがボールをキャッチしてパスする速さと正確さが超人的で、ブレイディは「ペイトリオッツ王朝」を牽引し、スーパーボウル優勝7回、MVP受賞5回というスーパースターになった。

そのブレイディが去年、プロ23年目、45歳で史上最年長先発QBの記録を樹立し、今年引退した。同じく去年、13年暮らしたスーパーモデルのジゼル・ブンチェンと離婚した。2人の総資産は7億3300万ドル。だが、そのうち半分以上の4億ドルがなんと妻のものだった。スーパーモデルはNFLのGOATより稼ぐんだって。

引退したブレイディはさっそくハリウッド映画をプロデュースした。その名も『80フォー・ブレイディ』。80代前後の女性たちによるブレイディ・ファンクラブ（実在する）の話。4人のメンバーはまずサリー・フィールド（76歳）。『ノーマ・レイ』（79年）『プレイス・イン・ザ・ハート』（84年）でアカデミー主演女優賞を2度受賞。そしてリリー・トムリン（83歳）。『ナッシュビル』（75年）でオスカー・ノミネート。『9時から5時まで』（80年）でトムリンと共演したジェーン・フォンダ（85歳）も参戦。SFヒロイン史上最高にセクシーな『バーバレラ』（68年）の後、ベトナム反戦運動の闘士として活躍。アカデミー賞を2度獲得して、ワークアウト・ビデオがベストセラー。CNN創業者テッド・ターナーとの結婚離婚で莫大な財産を分与された波乱万丈の人生。そしてリタ・モレノ（91歳）。『ウエスト・サイド物語』（61年）で名曲「アメリカ」をエネルギッシュに歌い踊ってヒスパニック初のオスカー受賞。

この4人のレジェンド女優があこがれのブレイディ様を一目見るためにスーパーボウルのチケットを手に入れようと歌って踊って大奮闘。ジェーン・フォンダは出会ったばかりの男性とさっそくよろしくやって「現役」バリバリ。「美しさには賞味期限はない」と名台詞まで飛び出した。

この『80フォー・ブレイディ』の翌週、アメリカで封切られた『マジック・マイク　ラスト・ダンス』では、56歳のサルマ・ハエックが頑張ってた。男性ストリッパーのマジック・マイク（チャニング・テイタム）も42歳。頭も薄くなった。でも、スーパーメガリッチマダムのサルマから「おいくら?」と一晩買われて、あらゆる技というか体位を披露。

マイクを気に入ったサルマは彼を自家用ジェットでロンドンにお持ち帰り。自分が経営する劇場で、マイクに演出させて男性ストリップショーを開催する。つまり男性版『マイ・フェア・レディ』。ちなみにサルマの実生活の夫、フランソワ・ピノーはバレンシアガ、サンローラン、グッチなど超高級ブランドを傘下に収める多国籍企業ケリングのCEOで推定資産350億ドル。つまり彼女は本当にスーパーメガリッチマダム。でも、56歳でマイクの四十八手の「マジック」のお相手をしてみせる「現役」ぶりは金で買えない日頃の努力の賜。ジェーン・フォンダみたいにあと30年はセクシー路線でいけそう。

☆「リベラルが年齢差別かよ」☆

そんな時代に逆行する発言がCNNから飛び出した。朝のニュースショーで、人気キャスターのドン・レモン（57歳）が、共和党の政治家ニッキー・ヘイリー（51歳）について「女性として旬を過ぎた」と言ったのだ。

ニッキー・ヘイリーの両親はインド系。70年代に美少女コンテストに出場したが、インド系だったので優勝できなかったという。彼女は女性初、アジア系初、史上最年少でサウスカロライナ州知事となり、州議会議事堂から南軍の旗を撤去した。トランプ政権の国連大使に任命され、2024年の大統領選挙に出馬を表明した。

そのヘイリーを「旬を過ぎた」と評したドン・レモンはクレオール（アフリカ、フランス、スペイン、アメリカ先住民などの混血）で、今までリベラルな立場で共和党を批判してきたが、この発言で共演者から批難を浴び、当のニッキー・ヘイリーも抗議。CNNのCEOはドン・レモンに年齢差別や性差別について研修を受けさせた。

「リベラルが年齢差別かよ」と共和党は鬼の首を取ったように大喜びしているが、実は、この前日、ニッキー・ヘイリーは「75歳以上の政治家には知的能力テストを義務付けるべきです」と支持者集会で発言している。これはもちろん、大統領選で戦うことになるドナルド・トランプ（76歳）とバイデン大統領（80歳）の知的能力に疑問を呈しているわけだが、共和党、民主党を問わず、75歳以上の議員たちを激怒させている。

また、ドン・レモンが受けさせられた差別予防研修は、多くの企業で社員に対して実施されているが、共和党の次期大統領候補と呼ばれているフロリダ州知事ロン・デサンティス（44歳）は、そのような差別予防研修を「白人男性を差別するから」という理由で禁止した。

いやあもう、こんがらがって大変だけど、年齢云々は「人による」でしょう。草笛光子さんを見るとホントにそう思います。

シナトラ一家の酒と女のトークはラスヴェガスの化石

2023年3月23日号

カリフォルニアは雨季が長い。今年は特に長い。日本の梅雨より長い。12月初めから始まって3月に入っても終わらない。長ぇよ!

我慢できなくて、雨の降らない所、つまり砂漠のラスヴェガスに行ってきた。若い頃はラスヴェガスに行くとマシンガン撃ちまくりーの、サイコロ転がしまくりーの、酒飲みまくりーの(カジノで賭けてる間の酒はタダなのだ)、だったけど、還暦になると、それはもういいや。去年はヴェガスで戦車に乗ってメリメリと自動車も轢き潰したし(テレビの企画だったけど、ロシアがウクライナに攻め込んだので、不謹慎ということで放送中止)。

だからヴェガスから北上してユタに

行った。車で4時間も走ると標高2500メートル、ザイオンやブライスなど数々の国立公園が集中して、とても地球には見えない奇岩や奇景が思い切り楽しめた。ただ、ホテルに泊まって晩飯食おうとしたら、どこも開いてない！　しまった！　ここはユタ。モルモン教徒の土地。彼らは日曜日は働かないのだ！せめて部屋で酒でも飲もうかと思っても、もちろんモルモンは酒を飲まないので、酒屋もない！

だから、また4時間走ってラスヴェガスに戻って思う存分グビグビ。ぷふぁー。その勢いで、ラット・パック・ショーを観た。

ラット・パック（ねずみ小僧たち）とは、フランク・シナトラを親分にした芸能人の遊び仲間。もともと親分肌のハンフリー・ボガートを中心にしたグループだったが、ボギーの死後、夫人のローレン・バコールとつきあったシナトラが引き継いだ。

ラスヴェガスでは1950年代終わりにサンズというカジノ・ホテルでシナトラとディーン・マーティン、サミー・デイヴィス・ジュニアの3人がレギュラーでディナーショーを始めて、これがラット・パック・ショーと呼ばれた。

いつの話だよ！　もちろんこの3人はこの世にいない。このショーはそっくりさんショー。ヴェガスには昔からエルヴィス・プレスリーのそっくりさんが何十人もいて、今はマイケル・ジャクソンやプリンスのそっくりさんがいっぱいいる。

ショーではシナトラとサミーはそんなに似てないけど、ディーン・マーティンは本当にそっくり！　近

くで見ても本当に似てるんだが、人工感がハンパない。ディーンのそっくりさんとして生きるために整形したんだろう。すげえな。

3人ともグラス片手に登場して、最初から最後まで飲みまくり。

「お酒飲めない人は大変だね。朝起きたときと同じ気分のままで一日中いるんだろ？」

「俺は酔ってない。何かに掴まらないで起きてられるうちは」

「飲むのは控えてるんだ。酒は凍らせてかじってる」

「アルコールは人の最悪の敵だ。でも聖書には汝の敵を愛せ、って書いてあるもんでね」

どうしようもないアルコール依存症トークを続けるが、実際にシナトラとディーン・マーティンが昔、言ってたことの引用。

特にディーン・マーティン（のそっくりさん）はすごくて、「お客さん、いくつ？　94歳！　すごいね、乾杯させて！」と、94歳の御婦人の飲んでいたグラスを勝手に奪って一口飲んで返す。

「なんかの病気を感染しちゃったらごめんね」

あ、そういえば、客も出演者も誰もマスクなんかしてない！　しかも客は全員、白髪かハゲ。コロナにかかったら危険な世代しかいない。いやあ、ラスヴェガス、ほんとにコロナは終わったんだな。

☆「よく日焼けしてるね」☆

観客でおそらく最年少は還暦の自分。そりゃそうだ。自分もラット・パックの全盛期には生まれておらず、せいぜいサミー・デイヴィス・ジュニアのサントリー・ホワイトのＣＭぐらいしか知らない。サミーがコンコンチキ、チキコンコンとスキャットで歌いながらロックを作って飲んで美味そうに「んー」と唸ってグラスを指差し「サントリー！」と叫ぶ。当時はハリウッド・スターやヨーロッパの貴族がインスタント・コーヒーをうまそうに飲むＣＭ観ても「んなわけないだろ！」とは突っ込まなかったね。

ほろ酔いのシナトラに「よく日焼けしてるね」と話しかけられたへべれけのディーン・マーティンがよたよたとゴルフのクラブを振るマネをするとサミーは「ゴルフが肝臓に悪いとはねえ」と突っ込む。どう見ても酒焼けだから。するとディーンはサミーに「君もいい日焼けだね」と言い返す。念のため言っておくと、サミーは黒人です。

「このギャグ、大丈夫ですよ。だって今は1960年ですから」

いや、それ60年以上前だろ！

ディーン・マーティンが酔っ払いというのは実はギミック（仕掛け）で、ステージでは酒のように見えるお茶やジュースを飲んでいたらしい。ただ、87年に空軍のパイロットだった長男が事故死してから本当にアルコール依存症になってしまった。心配したシナトラがディーンを立ち直らせようとラット・パック再結成ツアーを始めたが、泥酔状態のディーンはステージで歌を忘れたり眠り込んだりして、途中で降板。

タイムスリップしたみたいなショーだけど、ひとつだけ60年代と違っていたのは、ステージで誰もタバコを吸わないとこ。消防法があるからね。

昔懐かしプレイボーイのバニーガールも登場。彼女にシナトラ（のそっくりさん）が親父ギャグでセクハラしまくり、「大丈夫。今は1960年だから」と繰り返す。

下ネタの連続に客席のお年寄りは大喜び。おじいちゃん、セックスですって。ああ、懐かしいねえ。あれはそう、ネットとか携帯なんてものが存在しない頃だったねえ……。

ディズニーの自治権を奪ったフロリダ州がたくらむ「究極のキャンセル法」とは?

2023年3月30日号

「ディズニーはケンカを売る相手を間違えたな」

フロリダ州知事ロン・デサンティスは凄んだ。

「頭のいいトランプ」と呼ばれるデサンティス知事（共和党）は、２０２４年の大統領選挙を目指して、公立学校の授業でアフリカ系米国人研究について教えることを禁じるなど、トランプ以上に過激で差別的な政策を次々に展開している。彼は、去年からディズニーを目の敵にしている。

まずデサンティスは２０２２年に「教育における親権法」に署名した。この州法は「ゲイと言わないで法」と呼ばれている。公立学校で小学校3年までの生徒に同性愛や性同一性について教師が語ることを禁止するからだ。

「これは差別だ」として、ディズニーの組合はCEOのボブ・チャペックに対して州知事に抗議するよう求めた。ディズニーの意見なら州知事は無視できないはず。なにしろディズニー・ワールドは1971年の開園以来、毎年2000万人以上の観光客をフロリダに集め、州に多額の税金も納めてきた。2021年には7億8000万ドルも払っている。

組合に突き上げられたチャペックは渋々、デサンティスに意見した。するとデサンティスは「カリフォルニアに本社を持つディズニーがフロリダに意見するな!」と逆ギレ。「罰として」ディズニー・ワールドの税務特別区としての特権を取り消すと決定した。

ディズニー・ワールドはもともとウォルト・ディズニーが「未来都市」として開発したので、建物や道路の建設、電気ガス水道などのインフラを自主運営する自治権が認められていた。デサンティスはそれを取り上げ、州の管理下に置くことにした。これはディズニーに莫大な損害をもたらす。この責任を取らされ、かわいそうにチャペックはCEOを退任することになった。

3月6日、デサンティスは、ディズニー・ワールドを監督する理事を任命した。そのメンバーは「ゲイと言わないで法」の旗振り役だった教育運動家、キリスト教福音派の宣教師、人工中絶禁止を求める右派法律家。この人選は、デサンティスが署名したもう一つの州法「ストップWOKE法」を遵守させるための人選だ。

「ＷＯＫＥ」とは、「女性やマイノリティの人権に目覚めた」という意味のスラング。多くの企業は、女性やマイノリティを差別しないよう企業内で研修しているが、それを禁じる州法が「ストップＷＯＫＥ法」。その理由は「白人男性への差別になるから」だとさ。

デサンティスはこの理事の任命で「ディズニーが子どもたちにＷＯＫＥのイデオロギーを注入することを止めたい」と語った。「すべての家族が楽しめるエンターテイメントを望んでいます」

つまりデサンティスはディズニーの雇用のみならず、作品の内容にまで介入する気満々なのだ。去年のディズニー＆ピクサー・アニメ『バズ・ライトイヤー』には女性同士のキスシーンがあり、そのせいでイスラム教国などで上映禁止になったが、フロリダ州政府も同じことをするつもりらしい。それって、どう考えても憲法修正第一条「言論の自由」違反だろ。

でも、今のデサンティスなら、どんな無茶な法案でも通せる。なにしろ州議会の上院40議席中28、下院１２０議席中84を共和党が占めている。

いい気になったフロリダ州議会の共和党議員たちは次々と馬鹿げた法案を提出している。

まず、ジェイソン・ブロデュール上院議員が出した「ブロガー登録法」。フロリダ州知事や州政府職員を批評するブロガーを登録制にして、それで得た収入の報告を義務付ける法。報告しないと最高２５００ドルの罰金。いや、これも「言論の自由」違反だよ。

☆　奴隷制度を支持していた民主党　☆

もっとひどいのがブレイズ・インゴリア上院議員が出した「究極のキャンセル法」。これは「過去に奴隷制度を支持した政党の認可を取り消す」州法。

アメリカでは２００６年から、南北戦争時の南軍の将軍の銅像が撤去され続けている。彼らが南部の奴隷制度を肯定していたからだ。インゴリア議員はそれに対して、南北戦争時に奴隷制度を支持していた党、つまり民主党そのものをフロリダで禁止しようと言い出したのだ。

南北戦争時に、民主党が奴隷制度を支持していたのは事実だ。１８２９年、南部の貧しい白人だったアンドリュー・

ジャクソンが同党初の大統領となって、「持たざる」白人たちのために先住民の土地を奪い、黒人奴隷制度を擁護した。それに対してエイブラハム・リンカーンが奴隷制度を撤廃するために結成したのが共和党だ。

しかし、1930年代から民主党は立場を変えていった。大統領になったフランクリン・D・ローズベルトは、大恐慌を解決するため、富裕層に増税し、貧困層、労働者に再分配するニューディール政策を取った。その後も民主党は「持たざる者」の救済をマイノリティ全体に拡げ、黒人の選挙権などを保護する公民権法に署名した。

ところが、これに南部の白人たちが怒り、民主党から離れ、それをリチャード・ニクソンが取り込んだ。これを「南部戦略」と呼ぶ。さらにロナルド・レーガンが人工中絶を禁止すると約束してキリスト教福音派を取り込み、共和党と民主党のポジションは左右入れ替わった。

恥ずべきは共和党が奴隷制度廃止のために作られた党だという歴史を忘れて黒人の歴史教育を禁じようとしているフロリダ共和党のほうだ。まあ、日本でも自民党がそもそも「リベラル・デモクラティック・パーティ」だってことを自民党自身が忘れてるけどねえ。

アジア系ばかりの『エブリシング・エブリウェア～』アカデミー賞を席巻！これがアメリカン・ドリームだ

2023年4月6日号

「これから始まる授賞式の会場で誰かが、暴力行為を行った場合……」

第95回アカデミー賞授賞式の司会者ジミー・キンメルは最初に警告した。もちろん去年の授賞式で、プレゼンターのひとりクリス・ロックを、ウィル・スミスがビンタする事件があったから言っている。

「アカデミー最優秀男優賞が授与され、19分間のスピーチを行うことが許可されます」

スミスはビンタした後も退場させられるでもなく、オスカーを受賞した。それで授賞式の運営は批判された。キンメルはそれを皮肉っている。

今回のアカデミー授賞式はそんなトラ

ブルもなしに進行した。あまりに順調だったのでキンメルは「ビンタが足りないね」とまで言ってたけど。

今回の授賞式の台風の目は『エブリシング・エブリウェア・オール・アット・ワンス』。作品賞など10部門で11、ノミネートを受け、いったいどれだけ受賞するかが注目された。

『エブリシング〜』が作品賞を受賞したら歴史的快挙。なにしろ、中国系の監督とキャストによるＳＦクンフー・コメディだから。アカデミー賞の歴史で１８００人以上がノミネートされたが、そのうちアジア系は30人足らず。コメディ映画の作品賞受賞はわずか10本。ＳＦ映画は『シェイプ・オブ・ウォーター』1本のみ。クンフー映画はゼロ。マルチバース（多元宇宙）映画もゼロ。

そして『エブリシング〜』のスウィープ（席巻）が始まった。まず助演男優賞は『エブリシング〜』でヒロインのミシェル・ヨーの夫を演じたキー・ホイ・クァン。幼い頃、ベトナムから難民としてアメリカに移民し、12歳で『インディ・ジョーンズ魔宮の伝説』（84年）に出演。しかし、10代後半で仕事がなくなった。当時のハリウッドはアジア系の男性を求めていなかったから。

それでも映画を愛するクァンはクンフーを学んでアクションの振付師としてハリウッドで20年以上、働き続けた。２０１８年、ミシェル・ヨーも出演した全キャストアジア系のハリウッド映画『クレイジー・リッチ！』が大ヒットしたのを見て、俳優へのカムバックを決意し、オーディションを受け、ついにオスカーをつかんだ。

「ボートピープルだった僕がオスカーを。皆さん、夢をあきらめないでください。これがアメリカン・ド

リームですよ!」

助演女優賞も『エブリシング~』で、ミシェル・ヨーを苦しめる税務署職員で別のユニバースではヨーの恋人を演じたジェイミー・リー・カーティス(64歳)。父トニー・カーティスは『手錠のままの脱獄』(58年)、母ジャネット・リーは『サイコ』(60年)でアカデミー賞にノミネートされたが受賞していない。

ジェイミーは19歳の時に主演したホラー映画『ハロウィン』(78年)が大当たりしたので、似たようなホラー映画の仕事ばかりになった。ジャンル映画(ホラーやSF、アクション映画のこと)女優と思われて、なかなか賞に縁がなかったジェイミーはオスカー像を掲げて、「ありがとう、ジャンル映画を愛してくれた幾千万の人たち！」と叫んだ。

ゲテモノ女優といえば、ゾンビ映画『ドーン・オブ・ザ・デッド』（04年）の撮影現場で会った主演のサラ・ポーリーは「これで私もゲテモノ映画女優ね」と笑っていたが、今年、『ウーマン・トーキング私たちの選択』を監督・脚色して、脚色賞を獲得。

「ウィメン（女たちが）トーキング（物を言う）なんてタイトルで、皆さんを不快にさせてごめんね」と、女性受賞者があまりに少ないアカデミー賞を皮肉った。

☆　友人同士が揃って受賞　☆

そして主演女優賞は『エブリシング～』のミシェル・ヨーが。

「私のような顔をしている少年少女（アジア系）にとってこれは希望の証です」

アジア系初の主演女優賞受賞者ミシェル・ヨーにオスカーを手渡したハル・ベリーはアフリカ系初の主演女優賞受賞者。ハル・ベリーとミシェル・ヨーは共に、元ボンド・ガールでもある。ジャンル映画の大逆襲だ！

「もう、『彼女はもう旬じゃないよ』、なんて言わせないよ！」

ミシェル・ヨーは昨年、還暦に。同じ歳のトム・クルーズも『トップガン　マーヴェリック』で本当にジェット戦闘機に乗って頑張ったし。

主演男優賞は『ザ・ホエール』のブレンダン・フレイザー。クジラと呼ばれる、体重280キロの英語教師を特殊メイクで演じる。主人公は男性を愛して妻子を捨てたが、恋人は保守的なキリスト教徒だったために自殺。彼も心を病み、過食症で死の淵にありながら、娘の愛を取り戻そうとする。

ブレンダン・フレイザーはかつてハリウッドで最も美しい俳優の一人で、冒険映画『ハムナプトラ』シリーズでトップ・スターになった。しかしゴールデン・グローブ賞を主催するハリウッド外国人映画記者協会の会長にセクハラされたことを告発してから、仕事を干され、鬱に陥り、引きこもり、体重が増え、妻と離婚し、息子の養育費を巡って泥沼の争いになった。つまり、この『ザ・ホエール』はある意味、彼自身なのだ。

しかもフレイザーは原始人を演じたコメディ『原始のマン』（92年）でキー・ホイ・クァンと共演し、最後のメジャー作品『ハムナプトラ3』でミシェル・ヨーと共演している友人同士！

そして作品賞は『エブリシング〜』。オスカーを手渡すのはインディ・ジョーンズことハリソン・フォード。キー・ホイ・クァンと39年ぶりのハグ！『エブリシング〜』がエブリシングをオール・アット・ワンス（いっぺんに）かっさらった晩でした。

人生の予行演習番組『ザ・リハーサル』これってどこまでホントなの？

2023年4月13日号

昔むかし、『天才・たけしの元気が出るテレビ!!』という番組があった。古びた食堂や閑古鳥が鳴いている商店街の相談を受けてイベントをやったりグッズを企画したりして、お客さんを呼んであげる。

それのアメリカ版が『ネイサン・フォー・ユー（あなたのためのネイサン）』。ネイサン・フィールダーというコメディアンが、視聴者のリクエストに応えて、ビジネスのアイデアを提供する。たとえば、スターバックスに客を取られて苦しんでる喫茶店をスターバックスそっくりに改装してあげる。店の看板も紙コップのロゴもスターバックスにしてあげる。

え？　それはマズイんじゃない？

いや、よく見ると「スターバックス」の前に小さく「DUMB（ばかな）」と書いてある。「ばかなスターバックス」！

……でも、それでもスターバックスのロゴやシンボルは商標登録だから勝手に使ったらマズくない？

「大丈夫」とネイサンは言う。「これはアートだから」

アメリカではアートにおいて商標登録を無断で使用することが許されている。アンディ・ウォーホルがコカ・コーラやマリリン・モンローの既存の写真を基にアートを作ったように、ディズニーのミッキーマウスをモチーフにしたアートも許されている。

でも、これ、アートなの？

「ダム・スターバックス」は論争を呼び、お客さんが殺到した。

そんなお騒がせ男のネイサンが次に仕掛けた番組は『ザ・リハーサル』。人生の難しい瞬間を控えた人に、ネイサンが予行演習を手伝ってあげる。

第1回では、友人に自分は修士号を持っていると言ってきた男性が、実は大学に行ってないことを告白したい、とその予行演習をする。告白相手の女性を演じる女優は、役作りのために身分を偽ってその女性と会い、彼女の話し方や癖を徹底的に研究して、彼女になりきる。それだけじゃない。ネイサンは告白の場所となるピザ・レストランを訪れて写真を撮りまくり、それを撮影スタジオの中に再現する。何から何まで完璧に！　もちろん店員も他の客も俳優を雇って演じさせる。

そこまでする必要ある？

第2回の依頼主は、オレゴン州に住む44歳の独身女性アンジェラ。そろそろ子どもが欲しいが、その前に子育ての予行演習がしたいという。ネイサンは子ども（アダムと名付けられる）が18歳になるまでを6週間で演習させる。子どもは1週間に3歳成長する。各年齢ごとに子役を用意して、交代させる。赤ん坊は児童福祉法で4時間しか連続で働けないので、4時間ごとに交代する。

アンジェラは結婚の予行演習もしたいという。彼女の夫を演じてくれるロビン君を見つけて、一緒に住んでもらう。しかし、赤ん坊の夜泣きがひどい。児童福祉法で夜7時以降は子役を使えないので、夜はロボットと入れ替えるのだが、ネイサンはそれをリモコンで泣かせる。「もっと大声にしよう」とか言って。

ロビンは一睡もできずに逃げ出してしまった。困ったネイサンは「じゃあ、僕がやりますよ」と言ってアンジェラと一緒に暮らして子育てし始める。アンジェラが「自給自足の生活がしたい」と言うので、2人で庭に畑を作って野菜の種を蒔く。でも、普通に育つのを待ってるわけにはいかないので、夜のうちにスタッフが畑に、買ってきた野菜をセットし、それを翌日に収穫する。でも、スタッフは野菜を育てたことが無いのか、ピーマンやナスが地面に突き刺さっている。

☆ 息子がグレて、リセット ☆

これと同時にネイサンはいくつかの予行演習を進めているので、そのための俳優を養成しなければなら

ない。ネイサンはハリウッドの俳優養成所に出張する。ここでもネイサンは、俳優たちに役作りのために実体験をさせる。たとえば肉屋さんを演じる俳優には実際に肉屋さんで働かせて肉屋さんの気持ちを体で理解させる。いわゆるメソッド演技だが、ネイサンはそのうちに「俳優ってどんな気持ちなんだろう？」と考え始める。そして、その俳優のアパートの鍵を借りて、その部屋に暮らし始める。いったい何がしたいんだよ！

そんなことをしてるうちに数週間が経ち、ネイサンがアンジェラの家に帰ってきたら「息子」のアダムはもう15歳になっていた。

予行演習はリアルでなければならない。

実際に何年も父親にほったらかしにされた息子はどうなる？　ネイサンはアダム役の俳優と一緒に考えた。答えはひとつ。「グレる」！

で、アダムはグレた。アメリカだから麻薬をやり、過剰摂取で生死の境をさまよった。やりすぎた。もっぺん6歳からやり直そう。リセーット！

6歳に戻ったアダムに、ネイサンは四六時中、寄り添って愛情を注ぐ。愛情のあまり息子の教育をめぐってアンジェラと対立し、アンジェラは降りてしまう。するとネイサンは1人で子育てを続ける。リハーサルはどうなったんだよ！

アダムは7歳になるので、子役は交代。でも、6歳のアダム役の子は、出番が終わった後もセットを去ろうとせず、ネイサンを「パパ」と呼び続ける。

「僕はネイサンなんだ。パパと呼ばないで」

石立鉄男か！

しかし、その子役の母親は言う。「うちの子には父親がいないんです。あの子にとって、あなたはもうパパなんです」

うわー、泣かせるなよ！

これでもコメディなの？　そもそもリアリティ番組なの？　それとも全部「ヤラセ」なの？　もう何もわからない！　ネイサン、事件です！　髙嶋政伸か！

ついにトランプ起訴！まずはポルノ女優の口止め料の不正会計から

2023年4月20日号

3月30日東部時間夜11時半からのCBSテレビの大人気トーク番組『ザ・レイト・ショー』。司会のスティーヴン・コルベアは満面の笑みで登場した。

「イエーイ！　今夜は最高の気分ですよ！　この本番の3分前に知ったんだけど、トランプが起訴されるんだって！」

会場の観客も拍手喝采！　大統領経験者の刑事訴追はアメリカの歴史上初めて。罪状は30以上、これを書いている時点では内容は非公開だが、その中心は、トランプが２０１６年の大統領選挙に出馬する際、ポルノ女優のストーミー・ダニエルズさんとの過去の性的関係を口封じするために13万ドル払った事実らしい。

「誰にとってもいいニュースだね！」

コルベアは言った。日本で元総理が起訴されたとして、日本のテレビで司会者が言える？　言えない？　なんで？　日本じゃ元総理が起訴されないから？　日本のテレビ関係者にそんな根性ないから？

「トランプもJ6囚人合唱団に入れるじゃん」

J6囚人合唱団とは2021年1月6日の連邦議会議事堂襲撃で逮捕された囚人たちの合唱団。ワシントンDCの刑務所に収監された彼らの歌声を電話で録音して、トランプのスタッフが売り出したのだ。売り上げは彼らの裁判費用になるらしい。歌にミックスされているのは、トランプが朗読する合衆国への「忠誠の誓い」の録音。合衆国に忠誠誓ってる人がなんで議会襲撃を扇動したの？

トランプの起訴についてはその前週から報じられ、起訴するかどうかを決める大陪審（16〜23人の民間人）で審議されていた。トランプは自分が経営するSNS「トゥルース（真実）・ソーシャル」（笑）で「自分を起訴したら必ずや死と破壊が訪れるぞ」と警告した。また、ひどいことを起こすつもりらしいが、大陪審はついに合意に達した。

トランプの起訴をまだかまだかと待ち続けていた、もう一人のテレビ司会者がジミー・キンメル。

「さっきニュースを聴いて、今日話す予定だったジョークを全部破棄した。だってトランプのミドルネーム、Jはジェイル（刑務所）のJになったからさ！」

こっちもお客さんは大喜び。

「トランプは火曜日に逮捕されるらしいけど、逮捕される時はミランダ権を読み上げられるんだろうね。

『あなたには黙秘権があります』って。いやあ、おしゃべりなトランプには実につらい拷問だ（笑）」

起訴の理由は、トランプが口止め料に選挙資金を流用・不正会計したからだろうと言われている。それで有罪だとしても軽罪（刑期が1年以内）だ。逮捕されても、すぐ釈放される。大統領選の活動もできる。ただ、今回の罪状には1つだけ重罪（刑期が1年超）が混じっているらしい。はたして、それはどんな罪なのか？

既に2024年の大統領選挙への出馬を表明しているトランプは「政治的弾圧だ！　選挙妨害だ！　魔女狩りだ！」と怒りの声明を発表し、この起訴を利用して支持者から寄付をガッツリ集め始めているし、せっかくトランプ離れが進んでいた共和党も、起訴に抗議して結束している。トランプのアシストにしかならないんじゃ?

ニューヨークよりもジョージア州に起訴して欲しかった。2020年の大統領選挙でトランプはジョージア州務長官に直接電話して「自分が勝てるだけの票をなんとかしろ」と命令した。職権乱用と恐喝、選挙妨害だ。そっちのほうがトランプにはダメージが大きい。それでもジョージア州がトランプを起訴しないのは、共和党が州知事やってるせいか。うー。

☆ 92歳で5回目の婚約 ☆

同じ3月30日、トランプ絡みの大きな裁判が始まった。2020年の選挙でトランプ陣営は、「ドミニオン社の投票集計機がトランプ票をバイデン票に書き換えた」と主張し、共和党の御用チャンネル、FOXニュースはその主張を各番組で支持した。ドミニオン社はFOXを名誉毀損で訴え16億ドルの賠償を要求している。

しかもドミニオン側の弁護士は、入手したFOXの社内メール記録を提出した。それを読むと、番組ではトランプの選挙陰謀論に乗ってさんざん視聴者を煽っていたタッカー・カールソンなどのキャスターたちが社内では「アホか」「バカバカしい」とグチっていたことがわかる。FOXの総帥ルパート・マードックさえもトランプの選挙不正デマは「犯罪だ」と明言していた。

だから、ルパート・マードックも裁判に証人として召喚されそうだ。マードックは92歳だが健康上の理由で証言を拒否するわけにはいかないだろう。というのは3月20日に5回目の婚約を発表したくらい元気だから。相手はカントリー歌手の元妻で66歳。ちなみに4番目の妻は元モデルのジェリー・ホール。ミック・ジャガーの元奥さん。

マードックは２０１６年にトランプが大統領予備選に出馬した時はＦＯＸを挙げて彼を批判したが、視聴者のトランプ人気に負けて、しかたなくトランプ支持に切り替えた。２０２０年の選挙でも、トランプがデタラメを言ってると知りながら、それを批判するどころか、あえてデマに乗ったわけだ。それはマスコミ失格。自民党のウソをそのまま報道する日本のテレビと同じだよ。

トランプは4月4日にニューヨークの検察に出頭したが、手錠をかけられたりはしなかった。マグショットは撮られるのかな？　容疑者が警察で撮られる写真。アメリカでは公文書はパブリックドメインなんで、絶対、Ｔシャツになってバカ売れするぞー。

反政府カルトの聖地で集会を開いたトランプに人生を破壊された少年の意見広告とは

2023年4月27日号

2018年秋、中間選挙の取材で、テネシー州チャタヌガに行った。共和党の上院議員候補の応援に訪れるトランプ大統領（当時）を一目見ようと、朝から数千人が行列を作っていた。

「I believe in God, Gun, and Trump（私は神と銃とトランプを信じる）」と書かれたTシャツを着た人がいる。2016年の大統領選挙では福音派の8割がトランプに投票した。

「私はいきなり女性のプッシーをつかんでも許される」「ニューヨークの五番街でいきなり誰かを射殺しても私の支持者は減らない」などと公言するトランプほど神から遠い男はいないのに、なぜ、あなたがた福音派はトランプを支持するんですか？

「トランプはキュロス王の再来だからさ！」

キュロス王とは、実在した古代ペルシャの王。紀元前539年に現在のイラクにあった大国新バビロニアを攻め滅ぼし、バビロニアに囚われていたユダヤ人を解放し、ユダヤ人たちにエルサレムの神殿を再建させた。そのため、旧約聖書では異教徒キュロス王を（ユダヤ人の）「救世主」と呼んでいる。

そのキュロス王がなぜトランプなのか。2017年、トランプがエルサレムをイスラエルの首都と認定したからだ。

イスラエルはエルサレムを首都としているが、パレスチナも同じくエルサレムを首都と主張している。そんな火中の栗を拾うのは嫌だから、諸外国はどちらの主張とも関係ないテルアビブに大使館を置いてお茶を濁してきた。なのにトランプはあえて大使館をエルサレムに移転させて、イスラエルの主張を認めた。

しかし、トランプがこれを決断したのは、イスラエルのためではない。ユダヤ人のためでもない。アメリカ・ユダヤ人委員会（AJC）が2017年に実施した調査によると、アメリカ政府がエルサレムをイスラエルの首都と認定することを希望したのは、在米ユダヤ人のわずか16％にすぎなかった。ちなみにアメリカ人全体の63％もトランプの決定に反対。みんな、イスラエルのネタニヤフ首相のパレスチナ弾圧に否定的だから。

じゃあ、いったい誰のため？

「福音派のためです」

トランプは言った。アメリカ国内の福音派からの激しい嘆願があったからだと。彼らは新約聖書の黙示録にある終末論を信じている。そこには、エルサレムに新しい神殿が建てられた後、キリストが最後の審判のために再臨すると書かれている。福音派は、その預言を成就させたいのだ。

かくして、イスラエルではトランプとキュロス王の横顔が並んだ記念コインが発売された。

バカバカしいとは思うが、キュロス王ならまだマシだった。とうとうトランプはキリストだと言い出すバカまで現れた。

4月4日、トランプは逮捕された。2016年の大統領選出馬時に、ポルノ女優ストーミー・ダニエルズに13万ドル支払い、彼女との関係を口止めした件を隠蔽するために事業記録を改ざんした罪で起訴されたからだ。トランプは自らニューヨークの刑事裁判所に出頭して罪状を否認してからフロリダの別荘に帰った。

「トランプ氏は罪なくして逮捕されました！」

裁判所前で、トランピストのマージョリー・テイラー・グリーン下院議員（ジョージア州・共和党）はメガホンを使って叫んだ。

「ローマ帝国に捕まって殺されたイエス・キリストと同じです！」

浮気隠しとキリストの受難を一緒にするなんて……。

トランプ自身、キリスト的というか、黙示録的イメージを意図的に弄んでいる。彼は逮捕の前々週、テキサス州ウェイコで支持者集会を開いた。このウェイコという街はある種の人には意味がある。

☆「私は君たちの戦士だ！」☆

ウェイコでは1993年、黙示録の終末論を信じる原理主義キリスト教カルト「ブランチ・ダヴィディアン（ダビデ派）」が教団建物に重火器を集めて立て籠もった。包囲したFBIと銃撃戦になり、建物は炎上。子ども25人を含む81人が死亡した。

それ以来、ウェイコは連邦政府に抵抗する武装主義者、ネオナチ、キリスト教過激派の聖地になっている。そして、ブランチ・ダヴィディアンを率いた教祖デヴィッド・コレシュの名字「コレシュ」は「キュロス」のヘブライ読みなのだ。

「キュロスの再来」トランプはウェイコの演説で聴衆にこう叫んだ。

「私は君たちの戦士だ！　私は君たちの正義だ！　私は君たちの報復だ！」

よくいうよ。

トランプ出頭の日、ユセフ・サラーム氏（49歳）が「正義と公正を！」と書かれた意見広告をツイートした。それは30年前、トランプがニューヨーク・タイムズ紙他3つの新聞に載せた広告のパロディで、元の広告は1989年にセントラル・パークでジョギング中の女性をレイプした容疑で逮捕された5人の少年を「死刑にしろ」と主張する内容だった。その少年の一人が当時15歳のサラーム氏だった。

2002年のDNA検査で犯人は別人と判明したが、サラーム氏は人生を破壊された。その苦境を乗り越えて社会奉仕活動を続け、現在はハーレム地区のジェントリフィケーション（高級化）による家賃高騰を抑えるため、ニューヨーク市議会議員に立候補している。

無実だった少年たちを「死刑にしろ」と扇動して今も謝罪しないトランプに対してサラーム氏はこう言う。「それでも私は憎しみや偏見や人種差別に訴えません――あなたのようには」

どっちがキリストだよ。

『BEEF』のテーマはアジア系アメリカ人の「成功しなきゃ」というプレッシャー

2023年5月4・11日号

ホームセンターの駐車場で車を出そうとバックしたら、後ろを通ろうとしたベンツ（!）から強烈にクラクションを鳴らされた。窓越しに見てみると、ベンツの運転席から出た手が中指立ててＦＵＣＫサイン！　ケンカ売ってんのか、この野郎！

それがNetflixで今、いちばん面白いドラマ『ＢＥＥＦ／ビーフ〜逆上〜』の始まり。この場合、ＢＥＥＦは「牛肉」じゃなくて「不平」「悪罵」を意味するスラング。なぜ牛肉が悪罵なのか、由来は諸説あってはっきりしない。

ＦＵＣＫサインを出されたのはダニー。仕事はハンディマン（便利屋）。家の修繕から庭の木の枝払いまで何でもする。

逆にいうと、ちゃんとした仕事がない40歳手前。弟のポール（無職の引きこもり）と2人で狭いモーテル住まい。カリフォルニアの青い空を見上げて、人生に絶望したダニーは自殺しようとしていた。そこを金持ちそうなベンツに煽られてムカーッとして、カーチェイスになる。

『BEEF』のクリエイター、イ・サンジンは自分の体験から、この導入部を思いついたという。「本当はベンツじゃなくてBMWだった。僕は追いかけなかったけど、もし、どこまでも追いかけていったら？と想像したんだ」

ベンツに乗っていたのはエイミー。ダニーと同じ年だが、ハイエンドな植木屋チェーンで成功して、ロサンジェルスの高級住宅地に数億円の豪邸を建てた。夫ジョージはハンサムな陶芸家で、主夫として幼い長女の面倒もみてくれる。ダニーが地獄ならエイミーは天国にいるように見える。

ところが、エイミーは独りになると、金庫に保管してある拳銃を取り出す。その拳銃を股間にあててオナニーを始める。おいおい！ ピンポーン。ドアを開けると、そこにいたのはダニー……。

『BEEF』は「おいおい！ それはないだろ！」という5分先が予想不可能な展開が続き、ダニーとエイミーの攻防戦は雪ダルマ式に拡大。ゲラゲラ笑ってるうちに10話イッキ観はアッという間。最後は大惨事！

あ、ひとつ言うのを忘れてた。『BEEF』の登場人物はほとんどアジア系アメリカ人なのだ。ダニーは幼い頃、両親と一緒に韓国からアメリカに移住した。ダニーを演じるスティーヴン・ユァンも、

イ・サンジンもそうなのだ。ダニーの両親は最初は酒屋、次にモーテルを経営するが、失敗して韓国に帰った。ダニーの夢は自分の家を建てて両親をアメリカに呼び寄せること。夢に挫けた彼を救うのは韓国系キリスト教会。ダニーは教会のバンドでインキュバスの「ドライブ」をエモーショナルに歌うのだが、その上手いこと！　実はスティーヴン・ユアン自身が韓国系教会で歌を歌っていた。

エイミーの父は中国系、母は中国系のベトナム難民。夫ジョージは日系人だが、稼ぎはエイミーにはるかに及ばない。エイミーを演じるアリ・ウォンもそう。ウォンは「ち×こ」「ま×こ」を連呼するド下品トークで大人気のスタンダップ・コメディアン。Netflixの一人舞台番組2本で契約金数千万ドル！　彼女の夫は日系のビジネスマンだが稼ぎは妻にとても届かない。それをアリ・ウォンは「うちのダンナは今頃、子どもの面倒みながら私の番組を家で観てるわよ。私が建てた家でね！」とジョークにしていたが、それが原因か、昨年、離婚した。

☆　アジア系独特の価値観　☆

『BEEF』は作り手側の実体験をドラマに反映させながら、アジア系アメリカ人として生きるプレッシャーを描く。「アジア系の親は子どもの通信簿はAしか許さない。血液型がB型でも叱る」というジョークもある。アジア系は真面目で、礼儀正しく、成績優秀で、自己主張をしない。犯罪率が低く、政治的発言をせず、経済的に成功する……ことを期待される。

その型から外れたダニーは自己嫌悪に苛まれ、「できるアジア系」を必死に演じてきたエイミーも疲れ切っている。

夫婦の危機に陥ったエイミーはカウンセリングを受けるが効き目なし。自分の本当の気持ちを言わないから。夫からは「ポジティヴなことだけ考えよう」と言われ、母からは「自分の気持ちを言うのはわがまま」と言われて育てられた。

『BEEF』は10話かけてダニーとエイミーの心の奥底へと降りていく。そこに隠されていたのは、ふたりを縛ってきた「子は親を敬う」「長男はすべてを背負う」「妻は夫を立てる」「本音を出すのは恥」などのアジア系独特の価値観だった。

『BEEF』に限らず、最近のハリウッドはアジア系独特の問題をテーマにした作品が増えてきた。ピクサーのアニメ『私ときどきレッサーパンダ』は、優等生だった中国系の少女が、思春期にアイドルに夢中になる。性的に目覚めた彼女は巨大なレッサーパンダに変身してしまうが、それを許さない母との壮絶なバトルが始まる。

アカデミー賞を独占した『エブリシング・エブリウェア・オール・アット・ワンス』も、香港から移民して苦労した母エヴリンは、大学中退したニートの娘がレズビアンなので失望する。しかし、エヴリンの心の奥底には「男じゃなく女が生まれてがっかりした」と実の父に言われたトラウマが隠されていた。そこは『BEEF』のエイミーとまったく同じだ。

ウチ？　うちの娘は親に向かって「ジジイ、うぜえよ！」とか言いたい放題ですよ。まあ、親が言いたい放題だからねえ。

「トランプにはうんざりだ」FOXニュースの不正選挙デマ裁判で流出したトランプ応援団の本音

2023年5月18日号

4月18日、デラウェア州ウィルミントンの裁判所で、賠償金額16億ドル（約2160億円）の裁判が始まるはずだった。

2020年の大統領選挙で、「ドミニオン社の投票集計機がドナルド・トランプ票をジョー・バイデン票に書き換えた」と報道した保守系テレビ局FOXニュースをドミニオン社が訴えたのだ。

だが、裁判にはならなかった。その日の午後、FOXがドミニオン社に史上最高規模の7億8750万ドル（約1063億円）を支払うことで和解したからだ。

ドミニオン社の投票機が票を盗んだと言い出したのはトランプの弁護士ルディ・ジュリアーニとシドニー・パウエ

ルだった。ありえない陰謀論だった。なぜなら、アメリカでは、どの会社の集計機がどの地区の票を集計したか公表されているからだ。ジュリアーニが票を盗んだと主張するペンシルヴェニア州でドミニオンが集計したのは14の郡だが、12の郡ではトランプが勝っているのだ。

また、トランプの弁護士たちはFOXニュースに出演して「ドミニオンの幹部は民主党下院議長ナンシー・ペロシの首席補佐官であり、民主党のファインスタイン上院議員の夫はドミニオンの大株主だ」と語ったが、それもデタラメだった。

アメリカで名誉毀損が成立するには、中傷した側の「Actual Malice（実際の悪意）」を証明しないとならない。この場合、トランプ側の主張が嘘だと知りつつ、故意にそれを放送したということを。

それは裁判前に証明された。ドミニオン社の弁護士は当時のFOXニュース社内部のEメールや携帯メッセージを入手し、裁判所に提出し、公表した。それは、FOXがトランプ側の主張がデタラメだと知っていた証拠だった。なにしろFOXグループの総帥、ルパート・マードック（92歳）自身が「本当にクレイジーだ」と言っているのだから。

「パウエルは正気じゃない」

いつも番組でトランプをさんざん絶賛していたキャスター、タッカー・カールソンも社内メールで本音を漏らしまくっていた。

「善良なうちの視聴者は不正選挙デマを信じるだろう」「俺はマジでトランプが嫌いなんだ」「トランプに

気を使うのはもううんざりだ」「結局トランプは失敗したんだ。トランプが得意なのは何かをメチャメチャにすることだけさ。それにかけては世界チャンピオンだ」

でも、カールソンはこうも言っている。

「ここで俺たちがうまくやらないと、トランプにやられるぞ」

カールソンは4月24日にFOXニュースを去った。

トランプの選挙デマを支持者たちは信じた。そしてFOXのマネをして出てきた、さらに右翼的な新興メディア、ニュースマックスとOAN（ワン・アメリカ・ニュース）は既に陰謀論をバラまいていた。FOXもこの流れに乗らないと視聴者を失う。

「コアな視聴者を取り戻せ」上級副社長のラジ・シャーは言った。「視聴者をキープするのよ」CEOのスザンヌ・スコットも言った。「お得意様を怒らせるわけにはいかない」キャスターのショーン・ハニティも言った。

お客が求めるニュースを提供する。FOXがCNNを抜いて視聴者を集めた秘訣だ。でも、そりゃ報道じゃない。サービス業だ。

反対する者もいないわけじゃなかった。「陰謀論には反論すべきだ」と言ったのは元共和党の下院議長でFOXグループの取締役のポール・ライアン。「でないとメディアとしての信用を損なう」報道部のビル・サモンも「報道機関としての実存的危機だ」と、陰謀論の放送に反対した。しかしFO

Xは視聴者への奉仕を選び、サモンを解雇した。サモンは開票速報の際、アリゾナでバイデンが勝つと事実を報道したのでトランプから裏切り者扱いされていた。彼の首を差し出すことはトランプへの恭順の印でもあった。

☆ **裁判費用より和解金** ☆

これらの記録はFOXに故意があった証拠だ。ドミニオンは裁判に勝っただろう。しかし、ドミニオンは裁判が何カ月も続いて裁判費用が嵩んでいくことより和解金を選んだ。

トランプやFOXニュースに対する批判を続けてきたABCテレビの司会者ジミー・キンメルは「FOXは和解金払う

のに、リバースモーゲージのCMを増やさなきゃね」と笑った。

リバースモーゲージ（逆ローン）とは、自宅に住んだまま自宅を担保として融資を受け取れるシステム。死ぬと銀行が自宅を売却して一括返済する。これを老後の生活費にする老人が多い。FOXの視聴者は圧倒的に老人なのだ。

若者たちのテレビ離れが進み、どのテレビ局も収益を減らしている今、朝から晩までテレビの前に座っている老人たちをメインの顧客にしているFOXニュースは順調にCMで稼いでおり、先日、手元資金は41億ドルと発表した。約8億ドルの賠償金など屁でもない。

FOXもいちおうニュース局だから、今回の和解の件を報道した。たった6分間。まるで他人事のように事実関係を読み上げるだけで、謝罪は一切なし。和解条件にはFOX側の謝罪が含まれていないからだ。

「がっかりだよ！」

やはりトランプとFOX相手に戦ってきたCBSテレビの司会者スティーヴン・コルベアはその夜の番組で肩をすくめた。

「民主主義のためには、FOXのキャスターたちに『私はウソつきました』と謝らせたかったよ！」

「裁判でマードックが聖書に手を置いて宣誓して、神罰が下って炎に焼かれるのが見たかったよ！」

それでも8億ドル払っただけマシ。日本ではテレビが与党政治家の口から出まかせをガンガン垂れ流して別に訂正もしないからね！

デサンティスにディズニーが逆襲！トランプはレイプで賠償命令！

2023年5月25日号

訪米した岸田首相をフロリダ州知事ロン・デサンティスが表敬訪問した。共和党の次期大統領予備選に出馬するといわれる、と日本でも報道された。

4月26日、デサンティスがディズニーに訴えられた。

「表現の自由に対する州政府の報復」で。ディズニー対デサンティスのバトルについては、この連載でも何回か書いてきたけど、ちょっとややこしい。

デサンティスはリベラルに対して激しい文化戦争をしかけ続けている。2022年3月に「教育における親権法」を制定。公立小学校の3年生までの生徒に教師が「性」について語るのを禁じる州法で、特に同性愛や性同一性について話すと解雇されるのでDon't Say Gay（ゲイと言わないで）法と呼ばれた。

これには当然、ＬＧＢＴの人々が猛反発。多くのＬＧＢＴがいるディズニーの社員たちも、ＣＥＯのボブ・チャペックに州知事に抗議するよう要求した。ディズニー・ワールドには年間５８００万人もの観光客が訪れ、8万人以上の雇用と7億ドル以上の納税でフロリダ州に貢献しているから、州知事も意見を聞くだろうと。

チャペックが抗議するとデサンティスは激怒し、ディズニー・ワールドの特別区扱いを撤廃した。ディズニー・ワールドは何もない湿地帯に開発されたので、道路や上下水道、ガス電気、消防署などはディズニーが自費で建設した。そのため50年間にわたってインフラ管理の自治権と固定資産税の優遇を受けていたが、デサンティスはそれを奪った。

追加徴収される税金は2億ドル以上。チャペックは責任を取ってＣＥＯを降り、前任のボブ・アイガーがＣＥＯに再就任した。

さらにデサンティスはその地区を管理するセントラル・フロリダ観光監視地区委員会の理事たちを解任し、代わりに「教育における親権法」を推進した反ＬＧＢＴ活動家など右派の過激派５人を任命し、「道に迷った企業を指導する」、つまりディズニーの経営にも介入すると宣言した。

デサンティスはストップＷＯＫＥ法という州法も制定した。アメリカの企業では女性やＬＧＢＴ、少数民族に対する差別をしないよう社内研修が行われるが、それを禁止する州法だ。理由は「白人男性差別だ

から」」。デサンティスは理事たちにディズニーがストップWOKE法を守るよう監視させたいのだ。

また、ディズニーはアニメ『バズ・ライトイヤー』に同性婚カップルを出したり、『リトル・マーメイド』の実写版では人魚姫をアフリカ系にしたり、作品内でも多様性を拡大して保守派をイライラさせており、そこにもデサンティスが口を出すかもしれない。

ディズニーを破壊しようと意気揚々と就任した新理事たちは驚いた。前任の理事たちが解任直前に契約書を書き換え、理事の権限をインフラだけに制限していたのだ！　しかも、その契約期限は「チャールズ3世（今の英国王）の最後の子孫の死後21年まで有効」とされていた。つまり、ほとんど永遠!

ディズニーはデサンティスの手を封じたわけだが、地区委員会側がディズニーを反訴した。ネットではGo Disney!（行けディズニー!）がトレンドになったが、ボブ・アイガーも訴えた以上、最高裁まで戦う覚悟だろう。総理と食事しただけで忖度する日本のメディアとは根性が違う。

そのデサンティスと来年の大統領予備選で戦うドナルド・トランプの公判も始まった。4月26日、証言台に立ったコラムニストのE・ジーン・キャロルさん（79歳）は最初にこう言った。

「私がここにいるのは、トランプにレイプされたからです」

☆「部室のジョークだ」☆

1990年代半ば、彼女はニューヨークのデパートで偶然、顔見知りのトランプと出くわした。「友人の女性のために下着を選んでほしい」と頼まれた彼女がボディスーツを選ぶと、トランプは彼女に試着してほしいと言う。彼女がしぶしぶ試着室に入るとトランプが押し入ってきて、彼女の頭を壁に押し付け、いきなり性器に指を入れてきた。

「私は怖くて悲鳴を上げられませんでした」涙を浮かべてキャロルさんは証言した。

トランプは立ったまま彼女を犯すと立ち去った。

キャロルさんは2人の友人に相談した。1人はすぐに警察に届けるよう勧めた。もう1人は「もし警察に行ったら、億万長者のトランプは強力な弁護士チームであなたの人生を破壊するだろう」と警告した。キャロルさんは沈黙を選んだ。

2016年にトランプが大統領選に立候補すると、彼に性的暴行を受けた女性たちが次々と名乗りを上げた。キャロルさんも2019年に出版された本でそれを告白した。するとトランプは「私がやるわけがない」と否定した。「だって、あんな女、オレのタイプじゃないから」キャロルさんは暴行と名誉毀損の民事訴訟でトランプを訴えた。

公判でキャロルさんの弁護士は、「1979年と2005年にトランプにレイプされた2人の女性の告白と比べると、3つともやり口が同じです」と言った。押さえつけて、いきなり性器に指を入れている。トランプは、大統領選の最中に流出した「私がいきなりプッシーをつかんでも女性は文句を言わない」と自慢する音声を「部室のジョークだ」と弁解したが、実際にやっていたのか。

「あのレイプ以降、私はセックスをしていません」キャロルさんは証言台で語った。「誰かに恋して、一緒に食事して、犬を連れて散歩して……そんな経験はできなくなってしまったんです……」

5月9日、陪審はトランプの暴行を事実と認定、賠償を命じた。トランプは2日後に控訴した。

LGBTと共産主義をごっちゃにしたアカ狩りでゲイ仲間を売った裏切者はトランプの師匠

2023年6月1日号

LGBT理解増進法案に反対し続けている自民党の西田昌司政調会長代理。取材に応えて「この種の問題が出てきたのは、ロシア革命以降のマルクス共産主義の思想の延長線上になってきたのは事実」と述べた。

？？？？

ロシア革命、ゲイと関係ないよ！　マルクスも共産主義もゲイと関係ないよ！

これと同じような話をアメリカでも聞いた。

去年の中間選挙でジョージア州に行って、下院議員マージョリー・テイラー・グリーンの応援集会を取材した。グリーン議員は、「社会主義」とボディに書かれた自動車をライフルで撃ちまくって木端微塵に爆破する動画を配信して人気の共和党の極右。支持者の老紳士になぜ彼女を応援するんですか？と聞いてみた。

「彼女は社会主義と戦ってくれるからだよ」

アメリカに社会主義の脅威なんてあります？

「あるよ、教育に浸透している。ＬＧＢＴというやつだ」

社会主義とＬＧＢＴ、関係あるんですか？

「あるよ。社会主義はＬＧＢＴを押し付けてくるんだ」

いやあ、もう何が何だか。社会主義とか共産主義とかは政治的イデオロギーの問題であって、同性愛とは無関係だし、共産主義国家のソ連や中国では同性愛は禁止され、弾圧されていた。

にもかかわらずアメリカでは社会主義や共産主義を同性愛と結びつけた。

第二次大戦後、アメリカ政府は職員から、社会主義的傾向のある者と一緒に同性愛者も排除した。国務省や軍、ＦＢＩでは調査や密告によって同性愛者を摘発して辞めさせた。１９５０年、共産主義者を狩り出す「アカ狩り」が吹き荒れるなか、共和党の全国委員長ガイ・ジョージ・ガブリエルソンは「政府に浸透している性的倒錯者」は「実際の共産主義者と同じくらい危険である」と述べた。

ゲイフォビア（同性愛に対する恐怖心）をレッド・スケア（共産主義に対する恐怖）と意図的に混同させて人々の嫌悪感を煽ったのだ。同性愛を象徴する色がラベンダー（紫）だったので、これはラベンダー・

スケアとも呼ばれた。

アカ狩りの急先鋒のジョセフ・マッカーシー上院議員は「マッカーシーに逆らう奴らはアカかオカマ野郎に違いない」とまで言った。「左翼活動家は精神的、肉体的に病んでいる」「だから同性愛者は共産主義に染まりやすい」、また、同性愛者であることをソ連側に知られた政府職員はそれで脅迫されてスパイとして取り込まれる、と言って、同性愛者の政府職員を摘発して追放していった。

その際にマッカーシーの顧問検事だったのは当時まだ24歳だったロイ・コーン。コーン自身、同性愛者で、そのネットワークを使って政府内の同性愛者を暴露した。

ただの裏切り者じゃん！

マッカーシーにコーンを紹介したFBI長官のJ・エドガー・フーバーも同性愛者だった。また、マッカーシー自身も同性愛者だったという証言もある。

コーンは1986年にエイズで死ぬが、1973年にドナルド・トランプの弁護をしている。トランプが当時運営していたアパートで、黒人が入居を希望した際には「空室ありません」とウソをついていたことが発覚して、アメリカ司法省に訴えられたのだ。この裁判にコーンは負けたが、トランプとコーンの「師弟関係」はここから始まった。

☆「私の支持率は上がったよ」☆

さて、コーンの弟子、トランプは、性的暴行をしたと法廷で認められた史上初の元大統領になった。

コラムニストのE・ジーン・キャロル氏から1990年代に高級デパートの試着室で彼女をレイプしたと訴えられた民事訴訟で、陪審が原告の訴えを認めたのだ。5月9日、トランプは名誉毀損と性的暴行で500万ドルの損害賠償支払いを命じられた。

だが、認めたのは「性的暴行 Sexual Abuse」であって「レイプ」ではなかった。陪審はそこまでの断定を避けた。

その翌日、トランプはニューハンプシャー州のタウン・ミーティング（住民集会）に登壇した。同州は大統領選を左右する州と言われており、トランプは来年の選挙に向けて早くも活動を始めた。

この集会の主催はなんとCNN。トランプに「フェイクニュース」と呼ばれて目の敵にされてきたニュースチャンネルだが、トランプをずっとヨイショしてきたFOXニュースが共和党の次期大統領候補としてフロリダ州のデサンティス知事の支持に回ったので、トランプを手伝ってトランプ支持者をCNN視聴者に取り込もうとしたらしい。

しかしタイミングが悪すぎた。性的暴行判決の翌日だよ。集会でトランプは「最近、私の支持率は上がったよ」と言ったが、最近、どこもトランプの支持率を調査してない。適当すぎる。

さらにトランプは2020年の大統領選挙は「不正だった」と相変わらず根拠のない主張を繰り返し、2021年1月6日に連邦議会を襲撃した支持者を「偉大」「愛国者」と讃えるいっぽうで、議会を守ろうとした警察官を「チンピラ」と呼んだ。

トランプは自分の副大統領だったペンスがバイデン勝利を認定するのを阻止せよと支持者を煽って議会に乱入させた。「ペンス氏への謝罪は?」とインタビュアーに聞かれたトランプは「あいつが悪いんだ」と肩をすくめた。ペンスは憲法に従っただけだよ！

そしてキャロル氏についてはWhack Job（イカレポンチ）と呼び、「あんな女は知らない」、性的暴行は「デッチ上げ」「捏造」と決めつけた。もう、もっぺん名誉毀損で訴えて、トランプが黙るまで何億円でもふんだくって！

イーロン・マスクがツイッターを女性CEOに任せたのは「ガラスの崖」か

2023年6月8日号

ツイッター社の新CEOにリンダ・ヤッカリーノ氏が就任すると発表された。

ツイッター社を440億ドルで買収したイーロン・マスクは去年の10月に同社のCEOになったが、やることなすこと失敗だらけ。まず7500人いた社員を1000人に減らした。減らしすぎてシステムのメンテナンスもできず、エラーは日常茶飯事になった。

また、デマや陰謀論、テロや差別など、危険なツイートを監視するスタッフを辞めさせたため、ひどいツイートが激増した。

選挙デマを飛ばしていたドナルド・トランプのアカウントの凍結についてイー

ロンは「あれだけのフォロワーを持つトランプを凍結したのはビジネスとして間違っていた」と言って、凍結を解除したが、既に自分のSNS「トゥルース・ソーシャル」を所有しているトランプは戻ってこなかった。

その一方で、イーロンは自分に批判的なジャーナリストのツイッターアカウントを停止した。CNNのドニー・オサリバン氏、ニューヨーク・タイムズ紙のライアン・マック氏、ワシントン・ポスト紙のドリュー・ハーウェル氏などだ。抗議を浴びて復活させたが、実にみっともなかった。

また、イーロンはユーザーの本人認証チェックマークを、月8ドル払えば誰にでも提供する「ツイッターブルー」なる有料サービスに切り替えた。アカデミー賞女優ハル・ベリーは「そんな金払いたくないから、みんなと同じ無印になるわ」と言って、ブルーのマークが消えた。ところが、ベストセラー作家スティーヴン・キングは「僕も8ドル払ってないけど、なぜかブルーになってる」とツイートした。また、ヘリコプター墜落で亡くなった元NBA選手コービー・ブライアントの使われてないツイッターアカウントもブルーになった。誰を無料で認証し、誰をしないのか、その基準はデタラメだった。

いちばんの問題は、8ドル払えば誰でもブルーになれることで、当然、「なりすまし」が横行した。大手製薬会社イーライリリーのなりすましアカウントが「インシュリンを無料で提供します」と嘘ツイートをして、イーライリリーに問い合わせが殺到。ブルーの本人認証としての信頼性はゼロになった。

イーロンのツイッターはとにかく仕事が素人。アメリカのNPR（アメリカ公共ラジオ）やPBS（公共

テレビ放送)、イギリスのBBCのツイッターアカウントを「国家資金運営」と分類して、各社から抗議された。これらのメディアは政権からの圧力に左右されないよう、BBCは受信料、NPRやPBSは寄付で運営している。NPRとPBSはツイッターから脱退した。

こんな運営だから、イーロン・マスクがCEOになってから、ツイッターの広告クライアント上位1000社のうち半分以上が広告を止めた。

批判を浴び続けるイーロンは去年12月18日、自分はツイッターのCEOを辞めるべきか続けるべきか、ツイッターユーザーの投票に委ねると宣言した。「なんだかんだ言われても自分は人気者だから」という自信があったのかもしれないが、1750万票以上の投票で、57・5％がイーロンのツイッターCEO辞任に賛成した。その後、12月28日にイーロンは「自分は多くの失敗をした」と認めた。

それから半年近く経って、ついに次期CEOが決定した。リンダ・ヤッカリーノ氏は1963年生まれ。彼女は、NBCテレビとユニバーサル映画を収めるNBCユニバーサル社の広告担当として成果を上げており、ツイッターが失ったクライアントを取り戻すことを期待されている。

だが、この人事は「Glass Cliff（ガラスの崖）」ではないか、と評する人も多い。

☆ 企業の先行きが危うくなると ☆

もともと「Glass Ceiling（ガラスの天井）」という言葉がある。女性や少数民族が企業の中で頑張って、出世の階段を上がって行っても幹部や役員、経営陣にはなれないことを、見えない天井に譬えた言葉。ところが、その企業が崖っぷちに追い詰められた時、なぜか女性や少数民族が経営陣に抜擢されることが多い。

それを「ガラスの崖」と呼んだのは、2004年、英エクセター大学のミッシェル・ライアン教授とアレックス・ハスラム教授で、英米の多くの企業を調査し、約120人を対象にアンケートを取ったことで、実際に企業の先行きが危うくなると女性や少数民族に経営を任せる率が高いことを検証した。

その理由としてポジティヴなのは、女性や少数民族は危機を突破する画期的なアイデアを出すことを期待されるから。

たとえば、コカ・コーラに圧倒されていたペプシコーラのペプシコは2006年にインド系の女性インドラ・ヌーイ氏をCEOに抜擢、コーラよりもビタミン飲料や果汁飲料などヘルシー食品に重点を移してペプシコを総合食品企業に脱皮させた。

コピー機の需要減少で危機に陥ったゼロックスは、2009年にアフリカ系の女性アーシュラ・バーンズ氏をCEOに抜擢し、紙からデジタルのデータベース作成へと業務転換して生き残った。

2008年の金融危機で破綻したGM(ゼネラルモーターズ)は18歳から自動車工場で働いてきたメアリー・バーラ氏をCEOに抜擢し、電気自動車、自動運転などハイテクに転換して会社を再生させた。

しかし、裏を返せば、白人の男たちは順風満帆な時は企業の舵を自分たちで独占して現状維持するが、目の前に氷山が迫ってくると女性や少数民族を先頭に押し出して改革させて失敗の責任を押し付ける、ということでもある。

それって最近の日本の政党もやってるよね。言いにくい差別的なことや人道的にヒドいことは、梅村みずほとか杉田水脈とか丸川珠代に言わせて、おっさんたちはその陰に隠れてさ。

「ロックの女王」ティナ・ターナーの16歳下の夫はなんとバッハ!

2023年6月15日号

「ロックンロールの女王」、ティナ・ターナーがスイスの自宅で亡くなった。83歳だった。

元夫アイク・ターナーが1951年に録音した「ロケット88」は、コード進行とリズムにおいて最初のロックンロールと言われている。つまりアイクは「ロックの父」なのに、まるで尊敬されていない。ティナにしたことがひどすぎたからだ。

ティナの本名はアンナ・メイ。18歳の頃、アイクのバンドのライブで、客席に差し出されたマイクをつかんで歌って、ボーカルに抜擢された。アイクは当時人気のテレビ番組『ジャングルの女王シーナ』と似た語感を狙って彼女にティナと名付けた。

アイク&ティナ・ターナーのデビュー曲「フール・イン・ラブ」(60年)はミリオン・セラー。1966年にはローリング・ストーンズと全英、69年には全米をツアー。71年にCCRの「プラウド・メアリー」をカバーして大ヒット、グラミー賞を受賞した。ミニスカートにピンヒールでエネルギッシュにダンスし続けてシャウトするティナは「ダイナマイト」と呼ばれた。

しかし、私生活は地獄だった。

ティナは最初、アイクのバンドのメンバーの恋人で、彼の子を妊娠していたが、アイクが横取りした。その時、アイクには5番目の妻がいた。彼女は2人の息子を置いて去っていった。その子たちをティナは自分の息子と一緒に育てた。アイクはティナが妊娠中も休ませずに働かせた。「あの男のために昼も夜も働いた/一分も眠る時間はなかった」という「プラウド・メアリー」の歌詞はティナの現実だった。

ティナが注目されるほど、アイクは嫉妬でティナを殴った。息子たちの目の前で、顔面を骨折して入院するほど。アイクはコカイン中毒になり、虐待はひどくなっていった。しかしティナはアイクを離れなかった。後に彼女は「洗脳されてたのよ」と語っている。

その洗脳を解いたのは「南無妙法蓮華経」だった。創価学会に勧誘されたのだ。ティナの半生を描いた映画『TINA ティナ』(93年、原題は『What's Love Got to Do with It』(愛とそれと何の関係があるの?))で、アンジェラ・バセット扮するティナが御本尊の前に正座してお題目を唱えるシーンで日本の観客はざわめいた。

1976年7月1日、コンサートのためにテキサス州ダラスに着いたティナをアイクはまた殴った。ホテルでアイクが眠っている間にティナはついに逃げ出した。ポケットには36セントしか入ってなかった。アイクからティナをかくまったのは、映画『トミー』で共演した女優アン＝マーグレットだったそうな。

裁判の果てに離婚は成立したが、今まで築いたアイク&ティナ・ターナーの音楽的な権利と財産はすべて奪われた。彼女に残されたのは4人の息子の親権と、ティナ・ターナーという芸名だけだった。

レコード会社との契約も失い、生活のためのドサ回りが始まった。ところがロックやソウルからディスコの時代になっており、ティナは「かつてのスター」扱いされることも多かった。

そんな彼女が1981年、ピープル誌のインタビューに応えた。アイクとの悲惨な結婚生活を赤裸々に語り、虐待に苦しむ女性たちから爆発的な共感を呼んだ。ローリング・ストーンズやデヴィッド・ボウイ、ロッド・スチュワートなど、かつての盟友たちもティナの復活に手を貸し始めた。

☆　45歳で完全復活　☆

1984年、アルバム『プライベート・ダンサー』が1000万枚を超えるメガヒット。シングル「愛の魔力」（原題は前出の映画と同じ）は3週連続ナンバーワン。翌85年の映画『マッドマックス／サンダードーム』では核戦争後の荒野に君臨する「女王」を演じ、「ライブ・エイド」や「ウィ・アー・ザ・ワー

ルド」にも参加。45歳で「ロックの女王」が完全復活した。

86年には自伝『愛は傷だらけ』（原題は『I, Tina』（私はティナ））が世界的なベストセラーに。前述したように93年には『TINAティナ』として映画化されて、それも大ヒット。アイクを演じたローレンス・フィッシュバーンは役と本人を混同した人たちから「クソDV野郎！」と言われ続けたという。

ティナはその映画を観ていないという。虐待がフラッシュバックするから。2021年に公開されたドキュメンタリー『TINA』（これは原題！　ややこし！）で、彼女は「愛のない結婚から逃げられなかったのは、父からも母からも愛されなかったから」と分析している。ティナが幼い頃、両親は離婚し、彼女は祖母に育てられた。だからティナはアイクと前妻の息子たちにも愛情を注いだ。

世界各地で何万人も集まるスタジアムでコンサートをするようになっても孤独だったティナ。彼女に愛を捧げる男性アーウィン・バッハと会ったのは1986年。レコード会社の担当者で16歳下のアーウィンがいくら求婚しても、結婚にトラウマのあるティナは断り続けた。

2009年のデビュー50周年ツアーで、70歳のティナはミニスカートにピンヒールで踊りまくって女王のまま引退した。2013年、ついにティナはアーウィンの指輪を受け取り、2017年、腎不全を起こしたティナに、アーウィンが自分の腎臓を一つ分け与えた。

2019年、彼女の生涯をミュージカルにした『Tina』(原題!)のプレミアでNYを訪れたのがアメリカの土を踏んだ最後で、その後はずっと夫の故郷スイスで暮らしていた。

しかし、ロックンロールの女王が、最後はバッハの妻になったなんてね!

サンフランシスコの超高級オフィスビル街がリモートで空っぽのゾンビ・タウンに

2023年6月22日号

「シリコンバレーの首都」とも言われるサンフランシスコのダウンタウン（市街地の中心部）には、フェイスブック（メタ）、ツイッター、グーグルなどビッグテック企業やセールスフォースなどのマーケティング会社、金融会社の入った高層ビルがひしめいている。うちのカミさんも、そのうちの一つの社員なのだが、先日、コロナ以来3年ぶりに出勤することになった。

コロナ禍が始まってから、カミさんの会社では全社リモートワーク（在宅勤務）になった。とっくにコロナが収束した今もリモートは続いている。出勤しないで業務に支障がないなら、出勤しないに越したことはないから。

コロナ前、カミさんはＢＡＲＴ（バート）という通勤電車で1時間もかけて出勤していた。サンフランシスコは不動産価格が全米で最も高い。１ＤＫのアパートの家賃が平均３３００ドル、つまり約46万円！住宅費は収入の3割が適正と言われるから、サンフランシスコに住むには年収１８４０万円が必要となる。そりゃ無理だから、多くの人は、ダウンタウンからＢＡＲＴで1時間以上離れた郊外から通勤していた。つまり週に10時間以上が通勤時間。それがリモートワークで浮いたわけ。

でも、誰も来ないオフィスをバカ高い賃料（東京の5倍以上）で維持するのは無駄すぎる。だからカミさんの会社は「コロナが終わったから、せめて週に2日は出社してください」と社員に通告し、カミさんは3年ぶりに出勤していった。自分も、最近のサンフランシスコに興味があったので、その会社を訪ねてみた。

コロナ前、サンフランシスコのダウンタウンは世界で最もイケ好かない街だった。20代で年収１０００万円を超えるＩＴエリートたち目当ての超高級店が並んでいたから。ヨガ用パンツを2万円で売るスポーツ・ブティックとか、ロクに出汁もとってないラーメンを1杯３５００円で出す高級レストランとかね。

ところが、ＢＡＲＴの駅を降りて地上に出ると、ダウンタウンはゴーストタウンになっていた。人が歩いてない。高層オフィス・ビルの1階にあったレストランやカフェ、ブティックはみんな空。その軒下にはホームレスのテントが並んでいる。サンフランシスコの路上生活人口は約８０００人だという。道端には彼らが捨てたヘロインの注射器、それに人糞……。

　それを踏まないように歩きながら、カミさんの会社を訪ねると、従業員2000人の巨大なオフィスで、実際に働いているのは……たった数人。アメリカ人は社畜じゃないから、必要のない会社の命令には従わないんだね。

　現在、ダウンタウンのオフィスの空き率は29％。企業が入っているビルも、こんな感じで社員はほとんど出社してない。さらに2022年からのIT株大暴落で、ツイッターは6000人解雇、フェイスブックは5000人、シリコンバレー全体で10万人以上が失職した。UCバークレーが調査したところ、ダウンタウンでの携帯使用量はコロナ前の32％。つまり人が3割に減ったのだ。

閑古鳥の鳴くダウンタウンの店は万引きや強盗の餌食になった。ルイ・ヴィトンやバーバリーの店舗を暴徒が一斉に襲った。多勢に無勢で、警備員たちは何もできずに略奪を見ているしかなかった。ヴィトン襲撃犯は監視カメラで特定されて、後に次々と逮捕されたが、類似の事件は頻発し、多くの小売店やレストランがたまりかねて閉店した。コロナ前に比べてサンフランシスコの飲食業者は55％、サービス従業者は34％が減ったという。

かくして街にはホームレスだけが残った。

「Doom Loopが起こるかもしれない」

地元紙サンフランシスコ・クロニクルは3月30日付で、ドゥーム・ループ（破滅へのスパイラル）という言葉で、ダウンタウンの空洞化で税収を失ったサンフランシスコ市が破綻する可能性を警告した。

☆ 原因はコロナではない ☆

なかでもオフィス・ビルの固定資産税は莫大なので、不動産価値が下がれば、市は大赤字になる。そうなると警察や清掃、ホームレス対策などの公共サービスの質が落ちて、ますますサンフランシスコは荒廃していく。

こんな事態になったのはコロナのせいではない。全米の他の地域では、こんなことは起こってない。南部や田舎はもっと貧しく、失業者もはるかに多いが、ホームレスはこんなに大勢いない。なぜなら、タダ同然のトレーラーハウスや貧乏アパートが山ほどあるからだ。

ところがサンフランシスコ市では、2015年から2021年にかけて建設された約2万2000戸の住宅のうち、年収600万円以下の世帯が買える住宅はわずか9%しかなかった。それ以外は年収1000万円以上の世帯向けばかり。住宅販売業者も、それに認可を与える市の政府も、金儲けしか考えてない。だから、サンフランシスコ市長のロンドン・ブリードはホームレスを収容する公営住宅の建設を打ち出しているのだが、周辺住民の反対で一向に進まない。

破綻した空っぽの高層オフィス・ビルを市が中低所得者向け住宅に作り変える案も出ている。そうして住民を集めれば小売や飲食業も復活させられるだろう。ドゥーム・ループに陥る前にやらないと財源がなくなる。

今のサンフランシスコを観てると、ゾンビ映画の巨匠ジョージ・A・ロメロ監督の映画『ランド・オブ・ザ・デッド』(05年)を思い出す。金持ちの住む高層ビルの足元はゾンビだらけ。それが庶民を捨てた街の末路だ。

モルモン教の首都ソルトレイクシティはIT産業の繁栄で酒もゲイもOKに

2023年6月29日号

BS朝日『アメリカの今を知るTV』の取材でソルトレイクシティに行ってきた。

巨大な塩水湖しかない標高1300メートルの高地なので、春でも零下で雪が降る。乾燥しきっているので雪も粉みたいにサラサラで、触っても指が濡れない。

モルモン教徒はここを開拓した。モルモン教の正式名称は末日聖徒イエス・キリスト教会という。末日とは世界の終わりに近づいている現在を意味する。

モルモンという通称は経典モルモン書が由来。1820年代に東部ヴァーモント州出身の農民の息子ジョセフ・スミスが地中から発掘した金のプレートできた本がモルモン書。そこに古代エジプト語で書かれていた教義をスミスが英語に翻訳したという。でも、古代エジプト語って、象形文字じゃないの？　そのモルモン書、実際に見せてほしいなあ。でも、スミスは翻訳を終えた後、モルモン書を神に返したという。

モルモン教徒は増えたが、キリスト教の異端としてアメリカ各地を追われた。スミスが一夫多妻を始め、数十人の妻を持ったこともあって、人々はモルモンを迫害した。モルモン側も防衛のために武装し、対立はエスカレート、ついに教祖スミスは暴徒に射殺されてしまう。彼の後を継いだブリガム・ヤングは教徒を率いて西へ西へと逃げ、荒野の果て、ソルトレイクにたどり着いた。

「そこに見えるのがブリガム・ヤングの家だよ。30人の妻と同居してた」

今回、ソルトレイクを案内してくれた不動産業者のバブスさんが教えてくれた。

ソルトレイクに定着したモルモンをアメリカ政府は追撃し、軍を送った。戦いで多くの死者も出たが、1890年、モルモンはアメリカ政府と和解するために一夫多妻を放棄した。モルモン教団のトップである「大管長」が神から直接、「一夫多妻の役割は終わった」という天啓を受けた、という形で。

「それでも多くのモルモン教徒が一夫多妻を続けようとしたね」

バブスさんが、古い住宅地を指差して言った。

「あのへんの家の地下は広いんだ。昔、奥さんを何人も隠していたからね」

現在、モルモンは教団として一夫多妻を厳しく禁止している。

「こっそり一夫多妻を続けている連中は、時々見つかって警察に逮捕されてるよ。未成年を妻にしてるからね。一夫多妻の家から脱出した元妻たちはグループを作って、秘密裏に一夫多妻を続ける家から妻たちを救出する運動をしてるね」

モルモンはいろいろと厳しい戒律で知られる。婚前交渉はもちろん自慰も禁止で、性器をいじりにくい特別の下着を着る義務がある。また、「強い飲み物」である酒や「熱い飲み物」であるコーヒーもタブーとされる。

自分は25年前に大陸横断の途中で初めてソルトレイクシティを訪れたが、安息日とされる日曜日だったので、一切の店が閉まっていて、ビールが欲しくてもどこにも売ってなくて苦労した。

さて、今回、25年ぶりに訪れたソルトレイクは見違えるほど変わっていた。あちこちにコーヒーショップ、バーやクラブ、クラフトビールのブリュワリーがある。地ビールや地酒の名前は「ポリガミー（一夫多妻）」とか「5人の妻」とか、ソルトレイク独特。

「2002年のオリンピックで変わったんだよ。世界中から人が来たからね。それに今はシリコン・スロープだから」

ソルトレイクの周辺は高い山に囲まれているのだが、そこにハイテク、IT産業が集まってきたのでシリコン・スロープと呼ばれている。シリコンバレーのあるカリフォルニア州ベイエリアの家賃（1DKで30万円以上）よりはるかに安いし、アウトドア・スポーツが楽しめる自然に囲まれているので、若いテッ

ク・エリートに大人気なのだ。彼らの遊び場として、酒場やコーヒーショップも増えた。現在の人口の5割は非モルモン教徒だ。

☆　プライド・パレードにも参加　☆

「私もユダヤ教徒だよ」

そう言ってバブスさんはカウボーイ風の帽子を取り、その下のヤムルカ（ユダヤ教徒が頭につける小型の丸い帽子）を見せた。

ん？　ヤムルカは男性用の帽子だけど、バブスさんはどう見ても中年の女性なのだ。

「あのね、私はレズビアン。女性の妻がいるんだ」

「妻」ってことは、正式に結婚してるってこと？

「うん。ユタ州は同性婚を認めたんだ」

でも、ユタ州政府はモルモン教徒に支配されてますよね？

「そうだけど、モルモンは教団として同性婚を容認したんだよ。去年の11月に。でも、やっぱり婚前交渉は禁止。がはは」

モルモン教徒は長年ゴリゴリの保守で、選挙ではいつも共和党に投票し続けていた。しかし近年、リベラルなモルモン教徒が増加しているという。

「毎年6月のプライド・パレード（ＬＧＢＴＱの祭典）にはモルモン教徒も参加するよ」

パレードでモルモン教徒たちは「Mormons Building Bridges（橋を架けるモルモン）」と書かれた横断幕を掲げて行進した。多様な人々との間に橋を架ける、という意味だ。同教徒によるＬＧＢＴＱ支援団体の名称でもある。

かつてモルモンは社会通念と対立する「カルト」だった。でも、時代と共に変わってきた。かつてモルモンは黒人の神権（聖職者になる資格）を認めなかったが、１９７０年代に認めた。やはり大管長が神から「黒人もＯＫ」という天啓を受けたからだ。今のところ、モルモンはまだ女性の神権を認めていないが、近い将来、大管長が天啓を受けて変わるかもしれない。ＬＧＢＴ法案や夫婦別姓に反対する自民党のほうがずっとカルトだよ。あ、裏に統一教会がいるんだっけ。

世界最大のスポーツイベントインディ500 その総帥の息子がゴールデン・グローブ賞を金儲けのイベントに

2023年7月6日号

先日、インディ500に行ったので、今回はインディ500とゴールデン・グローブ賞について書きます。

自動車レースとハリウッド外国人映画記者協会の賞の関係って？　どちらもペンスキー一族が所有しているのだ。

まず、インディ500とは、インディアナ州の州都インディアナポリスで毎年5月に行われる500マイルの自動車レース。今年で107回目で、世界で最も古い自動車レースのひとつ。

インディ500は「世界最速で世界最大」と呼ばれる。コースは1周2・5マイル（約4キロ）の楕円形。ヘアピンとか急カーブはないから、最初から最後までフルスロットルでこれを200周する。

だから現在は最高時速約380キロも出る。新幹線はやぶさ（320キロ）よりも、F1（372・5キロ）よりも速い。1周回るのにわずか1分。これを33台で競うからラッシュアワー状態。世界で最も速く、最も危険なレースでもあった。

「世界最大」なのは観客数。客席を35万人が埋める。東京ドームの6倍以上だ。レース自体はレースカーが目の前を一瞬で通り過ぎるだけだが、みんな何日も前から会場の周りでキャンプしている。バーベキューしている彼らに話を聞いてみると、親子三代で何十年も通っている家族も多い。ただ、圧倒的に白人ばかり。

インディ500は白人優先主義だと批判されてきた。そもそもインディアナ州の白人率は8割（全米平均は6割）。「インディアンの土地」という意味なのに、先住民が全然いない。みんなオクラホマのほうに強制移住させてしまったから。インディ500のドライバーも白人ばかりで、107回の歴史の中でアフリカ系選手はたった4人しかいなかった。

しかしインディ500は変わってきた。2017年に佐藤琢磨選手がアジア人として初めて優勝した時、デンバー・ポスト紙のスポーツ・コラムニスト、テリー・フライが「日本人が優勝して不快だ」とツイートし、ファンからもレーサーからも激しい抗議を受け、新聞をクビになった。インディは多様化、国際化を推進し、今年は出場選手33人中半数以上が外国人で、女性も1人いる。

さて、会場であるインディアナポリス・モーター・スピードウェイのオーナーは、全米規模の運輸会社

を経営する大富豪ロジャー・ペンスキー（86歳）。この人、もともとF1レーサーで、引退後にレース・チームのオーナーとしてインディ500に参戦、優勝を続けた。そして、2019年、ペンスキーは運輸会社の収益で、レースそのものを買収してしまった。つまり、競技者自身が競技会の主催者なわけ。それってどうなの？　と普通思うわけで、今回の第107回もそんな疑惑が吹き出した。

レース後半になって、次から次にクラッシュが続くなか、スウェーデンのマーカス・エリクソンがトップに立って他を引き離し、優勝を決めるかに見えた。ところが、197周目でクラッシュ。レッドフラッグが振られてレース中断。

残り2周だが、1周目は追い越し禁止なので、ラスト1周で勝負が決まる。その最後のストレートでエリクソンを2番手のジョセフ・ニューガーデンが抜いて逆転優勝。史上最高の賞金合計5億円を手にした。

でも、ニューガーデンはチーム・ペンスキーだった。エリクソンはレッドフラッグを出されなければ勝っていたと抗議した。チーム・ペンスキーを勝たせるためでは？　と囁く者も少なくない。

で、この、インディ500を買収したロジャー・ペンスキーの息子が、今回、ゴールデン・グローブ賞（ハリウッド外国人映画記者協会賞）を買収したジェイ・ペンスキー（44歳）なのだ。

☆「投票前に熟慮ください」☆

ジェイ率いるPMC（ペンスキー・メディア・コーポレーション）は、ロック雑誌ローリング・ストーンをはじめ、映画や音楽関係の雑誌を次々に傘下に収めてきた。ハリウッド業界媒体の大手3社、バラエティ、ハリウッド・レポーター、デッドラインは3つともPMCの子会社だ。これら3媒体は、映画業界人に定期購読されており、アカデミー賞シーズンになるとノミネートされた映画人たちが「投票前に熟慮ください」と、莫大な金を投じて広告を出す。

映画人たちの内輪の投票で決まるアカデミー賞よりも、ジャーナリストの投票で決まるゴールデン・グローブ賞のほうが信用できる、と言われることもあった。しかし、記者協会の会員は100人もいないので、昔から接待や買収の対象になってきた。また、映画人に対して強大な権力を持ってしまったのも問題で、俳優のブレンダン・フレイザーは記者協会の会長にセクハラされたと訴えた。

さらに2021年、ロサンゼルス・タイムズ紙が記者協会の会員に1人もアフリカ系がいない事実を暴露、俳優組合は抗議のため、ゴールデン・グローブ授賞式への出席をボイコット。NBCテレビは授賞式の中継を中止した。

評判が落ちていたゴールデン・グローブ賞を買ってジェイ・ペンスキーは何をするつもりなのか？　インディ500のようなレース・ショーにでもするのかな？「第3コーナーを回って、スカーレット・ヨハンソン、ジェニファー・ローレンスと激しい競り合い！」って？　ウマ娘か？

このゴールデン・グローブ賞の買収で、非営利団体のハリウッド外国人映画記者協会は解散し、現在の会員はペンスキーの会社に年収7万5000ドル（約1000万円）で雇用されると発表された。映画見るだけで1000万円もらえるなんて最高！　みたいに思えるが、ゴールデン・グローブの授賞対象は映画だけでなく、テレビドラマ、それに最近すさまじい数に増えている配信ドラマも含まれている。つまんない作品の数は面白い作品の何倍もあるだろう。その仕事、天国か、地獄か……。

ひとり25万ドルのタイタニック見物で「爆縮」された億万長者そして、そのバカ息子

2023年7月13日号

1912年、豪華客船タイタニック号がイギリスからニューヨークに向けて大西洋を航行中、氷山に衝突して沈没、乗客乗員約2200人のうち半分以上が亡くなる史上最大の海難事故となった。

そのタイタニックの残骸を観に行くツアーの潜水艇タイタン号が6月18日から消息不明になったが、6月22日、米沿岸警備隊は海中で潜水艇の破片を発見したと発表した。

タイタンは爆縮 Implosionした。水圧で、内側に向かって爆発 Explosionしたのだ。

タイタン号には5人が乗っていた。まずこのツアーを主催したオーシャンゲー

トのCEO、ストックトン・ラッシュ氏（61歳）。それにフランス人のダイバー、ポール・アンリ・ナルジョレ氏（77歳）。1987年から35回も現場に潜ってタイタニックの探査に身を捧げてきた彼は「ミスター・タイタニック」の異名を取る。

その他の乗客は大富豪だった。なぜなら、このツアーの参加費は25万ドル（約3570万円）だから。

シャザダ・ダウッド氏（48歳）は、食料、繊維、肥料、エネルギーなどパキスタンのあらゆる産業に広がるコングロマリットの経営者。彼は息子のスレマン君（19歳）を連れて参加した。伯母によるとスレマン君は乗り気でなかったという……。

ハミッシュ・ハーディング氏（58歳）は自家用ジェット機販売会社を経営する億万長者で冒険家。今まで、世界で最も深いマリアナ海溝にも潜り、南極点に到達し、2022年には、アマゾン創業者のジェフ・ベゾスが経営する民間宇宙ロケット観光のブルー・オリジンの宇宙船で大気圏外にも行っている。そっちの値段は280万ドル以上という。

さて、ハーディング氏の妻にはブライアン・ザス氏（37歳）という連れ子がいた。継父が海底で行方不明になっていた6月19日、ザスはSNSに「ブリンク182のコンサートに行く」と書き込んだ。ブリンク182はザスが学生だった90年代に人気だったパンクバンド。それにしても継父の捜索の最中にRock Out（羽目を外して楽しむ）？

「たとえ大富豪でも家族に忘れられてるんじゃ悲しいわ。一文無しでも家族に愛されるほうがマシよ」

インスタにそう書いたのは大物女性ラッパー、カーディB姐さん。フォロワー数1億6000万人だからたまらない。ザスは全世界から「人でなし」と呼ばれた。

「ビッチめ！」

ザスはカーディB姐さんにインスタで反撃。「もっと大人になれよ。品位が必要だね」

ザスは「継父が心配だけど何もできないから気を紛らわせるためにブリンク182を観に行った」と自己弁護。ところが、その数分後に、セクシー・モデルの女性にSNSでちょっかい出しているのを発見されて、「そんなことしてないで継父を助けに行けば？」と言われる羽目になった。

「行きたくても行けないんだ。僕はパスポートがないから」と言うザスは、刑事事件で起訴されてパスポートを停止されていた。去年、彼は、ツイッターで女性に異常な数のDMを送信し、女性に拒否されると脅迫じみたメッセージを投稿したりして、サイバーストーキングで逮捕勾留されたのだ。

「それに、信じられないかもしれないが、僕には100ドルのお金もない」

まるでブリンク182の最大のヒット曲「僕、いくつだっけ？」の歌詞みたいだ。

「23歳にもなるのに、どうして年相応の振る舞いができないの？」

ザスは37歳の自称オーディオ・エンジニアなんだけどね。

タイタン号は今まで何度も使われて、船体も疲労していた。これでは水圧に耐えられないと危惧する人々は少なくなかった。映画『タイタニック』のために33回も海底に潜った監督ジェームズ・キャメロン

もその一人だ。彼はＣＮＮの取材に「ショックを受けている」とコメントした。「警告が聞き入れられなかった点で、タイタン号はタイタニックとあまりに似ている」

☆ そういえば、難民は？ ☆

タイタン号のオーナー、ストックトン・ラッシュ氏の妻、ウェンディさんの祖先は、タイタニックと共に亡くなっている。映画『タイタニック』で老夫婦がベッドで抱き合ったまま水没していくシーンがあるが、あのモデルになったイシドールとアイダ・ストラウス夫妻だ。

イシドール氏はアメリカの大手デパート、メイシーズを共同経営する富豪で、タイタニックで最高の客室カップル・スイートに乗っていた。しかし、船が沈み始め、救命具も救命ボートも人数分無いことを知って、イシドール氏は、若い者を差し置いて老いた自分が生き延びるのを拒否した。

タイタニックの船底には、アイルランドや東欧からアメリカを目指す貧しい移民たちが乗っていた。彼らには救命具もボートもなく、ほとんどが死亡した。

タイタン号に乗った5人の金持ちのことばかり報道していた英米メディアは、思い出したように「そういえば、750人の難民は？」と言い出した。

750人もの難民を満載してイタリアに向かって地中海を進んでいた漁船がギリシャ沖で沈没した。100人ほどが救出されたが、それ以上の数の遺体が回収されつつある。

漁船はリビアから出港したが、乗っていた半分がパキスタンの人々だと推測されている。パキスタンでは経済が崩壊し、人口2億3000万人の11％以上が失業していると言われ、リビアを経由してヨーロッパを目指す経済難民が急増している。

パキスタンの富豪ダウッド氏が潜水艇から見物しようとしたタイタニックの残骸の中には今も貧しい名も無き移民たちが眠っている。

巨匠ジョン・フォードが西部劇を撮ったナバホ国は米国内の先住民国家

2023年7月20日号

ナバホ国に行ってきた。

アメリカ合衆国内に持つ準自治領だ。居留地と違って、ナバホ独自の法典もあるし、大統領府、議会、最高裁判所という三権分立による政府もある。ナバホの国旗も国立病院も国立大学もある。

ナバホ国は、ユタ、アリゾナ、ニューメキシコの3州にまたがり、コロラド州に接している。その面積は7万1000平方キロだから北海道よりも少し小さいくらい。そこに全ナバホ族33万人のうち、17万3000人が住んでいる。

ナバホ国にはいちばん近い大都市フェニックスから車で5時間くらいかかる。ナバホ国の国境には何も目印がない。でも、地平線いっぱいに広がる荒野の向こうに赤い色の奇妙な形の岩山が見えてくる頃には、もうナバホ国に入っている。

岩山が並んでいるのが有名なモニュメントバレー。ジョン・フォード監督の『駅馬車』（39年）をはじめ、数々の西部劇がここで撮影された。

まず、メディスンマンのダンさんに会った。メディスンマンは医療と祭祀を司り（昔、両者は一体だった）、伝統や伝説、歴史を語り継ぐ仕事。

「先住民と呼ばれるけど、我々も移民です。遠い遠い昔にアラスカのほうから南下してきました」

ダンさんは学校でもナバホ語を教えている。

「私たちがナバホ語をしっかり継承しているのを知って、シベリアの先住民に招かれました。彼らの言葉を保存するために参考にしたいからと」

ダンさんは飛行機に乗ってはるばるシベリアを訪れた。

「するとみんなナバホと同じ顔をしてるんです。それだけじゃない。言葉の多くがナバホと同じでした。私たちは何千年か前にシベリアからはるばるやって来たんです。だから『暗く寒い世界から来た』と言い伝えられてきたんです」

次にモニュメントバレーで撮影した映画の資料を保存する博物館に行った。ジョン・フォードは『駅馬車』以降も、『荒野の決闘』『アパッチ砦』『黄色いリボン』『捜索者』『シャイアン』などほとんどの西部

劇をこのモニュメントバレーで撮った。

「ジョン・フォードの西部劇に出てくる先住民はみんな、この近所に住むナバホ族が演じているんだ」

モニュメントバレーの映画博物館でガイドをしているラリーさんは言う。

でも『アパッチ砦』はアパッチ族の話だし、『捜索者』はコマンチ族、『シャイアン』はシャイアン族の話だ。

「それぞれの部族に見えるように服装や髪型を変えているけど、話してる言葉はどの映画でもナバホ語さ」

ナバホは後ろ髪を束ねて「みずら」のようにする。その形は大空と大地を表現しているという。ナバホ国は見渡す限り大空と大地が広がっている。ラリーさんは「大空と大地の間を馬に乗ってどこまでも駆けていくのが好きなんだ」と言う。

「私はナバホの若いもんを連れて馬に乗せて1週間くらい荒野で暮らすキャンプをやってるんだよ。大空と大地の間にいれば酒もドラッグも吹っ飛んじゃうさ」

そのキャンプは酒やドラッグの問題を抱えた青年たちのためのリハビリだという。

ナバホ国に限らずアメリカの先住民たちにとってアルコールは白人が持ち込んで以来、ずっと問題になってきた。

入植した白人たちは先住民にウィスキーを与えた。先住民は強いアルコールに耐性がないうえに、土地を奪われ尊厳を奪われたトラウマで酒に溺れ、心と体と生活を壊された。それでナバホ国では酒を禁じた。国土内に酒屋やバーは存在しない。ホテルやレストランでも酒を出すのは禁じられている。

☆ 遺伝的に多い病気 ☆

「私の娘はユダヤ人と結婚して、カリフォルニアでワイン・レストランを経営してるのよ。ナバホがお酒を売るなんてとんでもないけどね」と語るのは、モニュメントバレーの近くのレストランを経営するジュリーさん。羊肉を中心にしたナバホ料理を出している。

観光客相手の商売なので、コロナの間は本当に苦しかったという。

「観光客が来なかっただけじゃなくて、ナバホはコロナでいっぱい亡くなったの。糖尿病が多いから」

ナバホ族の糖尿病の有病率は白人の4倍。コロナでは3万1000人が感染し、1900人が亡くなった。ナバホ国は全米で最も死亡率が高かった。

ナバホ国は様々な問題を抱えている。観光と牧羊が主な産業だが、貧困率は40%。失業率も40～45%。犯罪や行方不明者も多い。北海道並みの広さに警察官はたった300人。

「だから最近は各州の警察も入ってきてるね」

今年70歳になるゲイリーさんは言う。

「ここはナバホ国と連邦政府と3つの州が重なり合っているから行政が複雑だ」

インフラはどこの管轄なのか押し付けあっている。

「たとえば学校は各州の管轄だ。電気は連邦も州もやらないから、ほとんどの家に電気がない」

モニュメントバレーにある発電用の巨大なソーラーパネルと、雨期の水を備蓄する貯水池は、ナバホ国政府が作ったそうだ。

「水道がある世帯はまだ3割くらいだ。連邦政府の管轄のはずだけど」

かつてナバホ族は川の近くに住んでいた。しかし、1860年代、アメリカ政府は川から離れた地域に強制移住させた。だから、ナバホ国は連邦政府には水道を引く義務があると訴えていたが、6月22日、連邦最高裁は、連邦政府にその義務はないと判決した。ナバホの苦難は終わっていない。

人種平等のためにマイノリティの入学を優遇するアファーマティヴ・アクション最高裁が違憲と判決！

2023年7月27日号

去年、人工中絶を女性の権利とした判例を覆したアメリカ連邦最高裁判所。今年も暴走を続けている。

連邦最高裁は9人の判事の多数決で憲法判断を決定する。判事を任命できるのは大統領だけ。一度任命されたらまず罷免できない。入れ替わるのは判事が引退するか死ぬか弾劾されたときだけ。それは司法に対する権力の介入を防ぐためだが、現在、判事9人中6人が共和党の大統領の任命なので、圧倒的多数の力で次々と共和党的な、つまり白人の金持ちに有利な判決を下している。

今回、最高裁は、名門ハーヴァード大学などが入学審査において黒人（アフリカ系）やヒスパニックを優遇していることとを違憲とした。この判決によって全米の大学で半世紀も続いてきた「アファーマティヴ・アクション」に終止符が打たれることになるかもしれない。

1960年代、キング牧師が主導した非暴力の戦いで、人種差別は憲法違反とされた。それから全米の大学で、人種による教育格差を是正するためのアファーマティヴ・アクション（差別是正積極措置）が始まり、入学に際して黒人やヒスパニック、先住民が優遇されてきた。

これに対してアジア系の匿名の受験生が、黒人とヒスパニックだけ優遇するのは差別だと訴え、最高裁の共和党系判事6人がその訴えを認めた。

「受験生は人種ではなく、個人の経験によって評価されなくてはならない」

ジョン・ロバーツ最高裁長官は多数派の意見として、そう表明。黒人であるクラレンス・トーマス判事は「法律は人種を無視すべき」、つまり法はすべての人種を同じに扱わねばならない、と語った。

だが、民主党の大統領に任命された判事はこの判決に反対している。

「パンがなければケーキを食べればいいのに的無関心の判決です」

マリー・アントワネットが言ったとされるセリフの引用で批判したのはバイデン大統領によってアフリカ系の女性として史上初めて最高裁判事に任命されたケタンジ・ジャクソン判事。「ダチョウが砂に頭を突っ込むようにして人種問題を無視しても、現実の差別は存在します」

では現実を見てみよう。

問題となったハーヴァード大の学生は白人が39・6%、アジア系が27・5%、ヒスパニック10・8%、黒人9・3%という割合。全米の人口では白人は60%、ヒスパニック19%、黒人13%、アジア系6%だから、ハーヴァードではアジア系の学生が飛びぬけて多い。

人種別の大卒率を見てみると、2011年から2021年までの10年間で、白人の4年制大卒率は34%から41・9%に上昇したが、黒人の大卒率は19・9%から28・1%。ちなみにアジア系の大卒率は50・3%から61%に増えている。

これはアジア人が優秀で黒人が優秀じゃない、ということではない。

大卒率の高さは世帯の年収と比例する。白人の平均年収7万8000ドルに対して黒人のそれは4万8000ドル。ちなみにアジア系の平均年収は10万ドルを超えている。そしてアメリカの大学生が年間にかかる学費と生活費の合計の平均額は3万6000ドル。黒人は子どもを大学に行かせること自体が難しい。ハーヴァードでは年収6万ドル以下の世帯の学生の学費を全額無料にしている。だから勤勉な黒人にとってハーヴァードのアファーマティヴ・アクションは本当に希望だった。

ジャクソン判事は今回の判決は「アファーマティヴ・アクションが『不平等の継承』を止める効果を認めていない」と憤っている。

☆「人種的不平等を固定化するもの」☆

ハーヴァードに限らず、黒人を優先的に大学に入学させることは、将来的な収入格差の解消、貧困の撲滅に効果がある。なぜなら、アメリカでの大卒の平均年収は高卒の約2倍なのだ。大卒なら自分の子どもを大学に入れることができる。貧しさの連鎖から脱出できる。

「今回の判決は人種的不平等を固定化するものです」と意見したのは、ソニア・ソトマイヨール判事。オバマ大統領に任命された、史上初のヒスパニック女性の最高裁判事。ニューヨークの下町ブロンクスに貧しいプエルトリコ移民の夫婦の娘として生まれ、9歳で父親を亡くし、看護師である母に育てられた。アファーマティヴ・アクションによって名門プリンストン大学に入学した。「アファーマティヴ・アクション無しに、今の私はありませんでした」ソトマイヨール判事は言う。

しかし、共和党系の最高裁判事6人は、本気で不平等を固定化するつもりなのだ。彼らはさらに学費ローンの一部免除を憲法違反と判決した。

先述したようにアメリカの大学の学費は高い。大卒で学費ローンを抱えている人たちの負債は平均3万7000ドルにもなる。大卒の初任給の平均は5万5000ドルだから、社会人人生のスタートから重荷を背負うことになる。

そこで、バイデン大統領は、低所得の人々の学費を最大2万ドル、帳消しにする政策を出したが、最高裁がこれを止めた。3000億ドルもの支出には議会の承認が必要だと。

学費ローン免除はバイデンの政策だから、議会を多数支配する共和党が通すはずがない。

ただ、不可解なのは、アファーマティヴ・アクションも学費ローン免除も、それを阻止した最高裁の主導者はクラレンス・トーマス判事だということだ。トーマス判事自身、南部で貧しく育った黒人で、苦学して名門イエール大学の法科大学院を卒業したが、人種差別のために法律事務所に就職できず、多額の学費ローンに苦しんだ人物だ。その彼がなぜ？（続く）

黒人の最高裁判事クラレンス・トーマスはいかにして人種の平等を憎むようになったのか

2023年8月3日号

6月29日、アメリカ連邦最高裁がハーヴァード大学などが黒人の入学を優遇していたアファーマティヴ・アクションを違憲と判決した。それは去年、最高裁が人工中絶は憲法で守られる女性の権利「ではない」としたのと並んで、歴史を大きく逆行させる判決だ。

アファーマティヴ・アクションは1960年代に人種格差を是正するために始まった。この判決で黒人は再び負のスパイラルに陥ることが危惧されている。

違憲判断を下したのは最高裁判事9人のうち6人を占める共和党系の判事。その指揮をとったのは黒人判事クラレンス・トーマス（75歳）。彼はアファーマティヴ・アクションを憎み続けた。

自伝によれば、クラレンス・トーマスは黒人のなかでも貧しく育った。トーマスの故郷の南部ジョージア州ピンポイントはアフリカから連行された黒人奴隷が白人社会とあまり接触してこなかった地域で、今もガラ語という英語ベースのアフリカ由来の言葉が使われている。トーマスの母もガラ語しか話せなかった。

トーマスが幼い頃、父は妻子を捨てた。ホームレスになったトーマス母子は母の父の農家に引き取られた。しかし祖父は孫を愛さなかった。ベルトで鞭打ちながら農場で働かせた。

トーマスは学校に通い始めた。当時の南部では人種隔離されていたので黒人だけの学校だったが、黒人の子どもたちはブラウン・ペーパー・バッグ・ルールといって茶色の紙袋より濃い肌色の同胞を蔑んだ。

「肌の色が黒く、広がった鼻の私は揶揄されていじめられた」

そんなトーマスを受け入れたのはカトリックの教会だけだった。救いを求めてトーマスは高校で神学校に進学した。しかし、1968年、黒人差別の解消のために戦ったキング牧師が暗殺されたニュースを観て白人神学生が「ざまあみろ」と笑っているのを見て神父への道にも失望した。

それでも勉強ができたトーマスはカトリック系の大学ホーリークロスに入学した。当初、彼は黒人解放運動の指導者マルコムXのポスターを部屋に貼り、デモにも参加したというが……。

今度は法曹を目指して名門イエール大の法科大学院に入った。ほんのわずかの黒人学生は弁護士か医者か経営者の息子で、劣等感を抱いたトーマスは黒人学生とも友人になれず、いつも独りだった。

イエールを卒業してもトーマスをどこの弁護士事務所も採用しなかった。

彼はこう考えた。「どうせアファーマティヴ・アクションでイエールに入ったと思われたからだ」その考えには何の根拠もない。だが、彼はそう思い込んだ。それからアファーマティヴ・アクションを憎み続けた。

やっと彼を採用したのは、ミズーリ州の司法長官ジョン・ダンフォース（共和党）だった。保守的なダンフォースはアファーマティヴ・アクションに反対していたので、黒人でありながらそれに反対する稀有な存在であるトーマスを補佐に求めたのだ。

同じ理由で1981年に就任したロナ

ルド・レーガン大統領もアファーマティヴ・アクションに反対だったので、アファーマティヴ・アクションを進める機関である雇用機会均等委員会の委員長に、それに反対するトーマスを任命した。

共和党には黒人は少ないので、トーマスはたちまち重要人物に駆け上がり、結婚した。白人女性ジニ・ランプと。

ジニはトーマスと正反対の女性だった。裕福な白人家庭に生まれ、家政婦や清掃人以外の黒人は見たこともなかった。

☆　念願かなって「殺した」　☆

しかもジニの両親はジョン・バーチ協会の会員だった。ジョン・バーチ協会は1958年設立の極右反共団体で、黒人解放運動は共産主義者とユダヤ資本と結託しているという陰謀論を喧伝していた。おまけに母親はフィリス・シュラフリーの支持者だった。シュラフリーは男女平等に反対する女性運動家で、女性の就業を批判し、人工中絶に反対した。

大学を出たジニは首都ワシントンの共和党事務所で働いたが、上司に性的に攻撃され（詳細は不明）トラウマを負った。

しかし、彼女は共和党に幻滅したり、女性の権利に目覚めることはなかった。

その代わりジニはトーマスと結婚した。「黒人と結婚なんて！」両親は反対したが、二人は固く結びついた。黒人の権利を抑圧したい黒人と、女性の権利を抑圧したい女性の似たもの夫婦だった。

1991年、トーマスが父ブッシュ大統領から最高裁判事に指名された時、トーマスの部下の女性アニタ・ヒルが彼からセクハラを受けたと訴えた。ジニは直接ヒルに電話して黙るよう恫喝した。ジニ自身セクハラの被害者だったのに。

そして現在、最高裁の最高齢判事になったトーマスは念願かなって、人工中絶の権利とアファーマティヴ・アクションを「殺した」。次に潰すのは同性婚と同性愛だと宣言している。

そんな夫婦はずっと億万長者で共和党の巨額献金者ハーラン・クロウから莫大な接待を受けていたことがわかった。豪華なレジャー、トーマスの孫甥の学費、数十万ドルもの贈り物……。

トーマスは接待を受けた事実を認めたが、最高裁判事は司法の独立を守るため、罷免できない。彼を罰する唯一の方法は議会による弾劾だけだが、それには下院の過半数が賛成して訴追する必要があるため、共和党が過半数を占める現在、不可能。

白人からも黒人からも除け者にされてきた一人の男の怨念がアメリカの民主主義を解体し、それを誰も止められない。

欧州の最貧国だったアイルランドはいかにして世界第3位のリッチな国になったのか？

2023年8月10日号

アイルランドにいます。出られないのです。パスポートとグリーンカードをスリに盗られたので……。

そもそもなぜアイルランドに来ることになったのか。去年の終わりに、『イニシェリン島の精霊』という映画を観たから。1920年代のアイルランドの孤島が舞台。とにかく風景には一本の木もない。石灰岩の上に薄っすらと乗ったわずかな土に生えた草が、どんよりと垂れ込める鉛色の雲の下、どこまでも広がっている。人々の楽しみはギネスビールと民謡だけ。

「アイルランドはあまりに貧しすぎる。あんな土地に生まれたら絶対出てく」

映画を観終わった後、肩をすくめてそ

う言うとカミさんが怒った。

「その上から目線やめなよ。本当はいいところかもしれないでしょ。行ってみてから言いなよ」

というわけで実際に来てみた。

アイルランドの首都ダブリンの街に出て驚いた。

ジェイムス・ジョイスが歩いた石畳や伝統的な石造りの街並みはそのまま、交通機関やトイレや公共の場所はもうピカピカにハイテクで清潔。我がサンフランシスコとは違って道にはゴミも落ちてないし、どの軒にもカラフルな花が飾られ、カフェのテラスではおしゃれな若者たちが談笑し、パブからは昼間でも生演奏のケルト民謡が流れ、何よりも道行く人がみんな明るい笑顔で、ホテルやレストランの人たちもみんなフレンドリーで優しく、まるでハリウッド・ミュージカルみたいに歌って踊りだしそうなハッピーな雰囲気なのだ。

おかげでつい気が緩んで、パスポートとグリーンカードをリュックに入れたまま外出してスリにやられた。というのも、アイルランドは夏でも摂氏20度前後で、42度以上の猛暑に苦しむスペインやイタリアやフランスから避暑、というより逃げてきた人たちでごったがえしていて、ついでにスリも集まってきてるそうだ。

それもそのはず、2022年のアイルランドの国民1人あたりGDPは世界第3位（1位は人口わずか63万人のルクセンブルク大公国）！　貧困率はたった5・3%（日本は16%）と貧富の差はなく、年金平均受給額は月約17万円！　そりゃ、みんなハッピーになるよ。

自分は昔のアイルランドのイメージしか知らなかった。実際、アイルランドはヨーロッパでも最貧国だった。石灰岩だらけのうえに毎日雨が降り、太陽がめったに出ないので穀物も野菜も育たない。アメリカ大陸から輸入されたジャガイモを育てて、それを主食としたが、１８４０年代にジャガイモが伝染病にやられて、ジャガイモに依存していたアイルランドは飢饉に陥った。その死者１００万人以上という。

「でも飢饉で１００万人死んだわけじゃないよ」

ガイドをしてくれたアレックスは言った。「英国人のせいさ」

アイルランドはヘンリー8世、クロムウェル、ウィリアム3世と何度もイングランドから侵略され、４００年近く英国の支配下に置かれた。アングロ・サクソンのプロテスタントである英国人は、ケルト系でカトリックのアイルランド人を異民族として蔑視した。カトリックが土地を所有することを禁じた。英国の貴族たちは領主として君臨し、アイルランド人は小作人として領主に年貢を納めた。

ジャガイモ飢饉になっても領主は年貢を取り立て、払えない小作人の家を破壊した。

「アイルランドでもジャガイモ以外の食べ物はあったさ」アレックスは言う。「羊や牛は山ほどいるし、周りは全部海だから魚も取れる。でも領主たちはそれを全部アイルランド人から取り上げて英国に輸出したんだ。いわゆる飢餓輸出だよ」

１８４０年代当時、英国では産業革命が起きていた。重工業が発展し、農民は工場労働者となり、人口

が拡大したが食料自給率が落ちた。そこでアイルランドから食料を奪った。

「飢饉じゃない。ジェノサイド（民族虐殺）だよ」

☆　国を出た者、残った者　☆

この時期、アイルランドの人口は800万人から500万人に減った。200万人が海外に難民として流出。アイリッシュ・ディアスポラ（アイルランド人世界離散）と呼ばれる。

職を求めて対岸のリバプールに渡ったアイルランド人の子孫がビートルズのジョン・レノンやポール・マッカートニーだし、大西洋を渡った移民の子孫はJ・F・ケネディ、オバマ、バイデン大統領、トム・クルーズやブラッド・ピットやジョージ・クルーニー、自動車王ヘンリー・フォードと西部劇の巨匠ジョン・フォードだ。

アイルランドに残った人々は独立のために戦い続け、1916年には武装蜂起。英国軍相手に果敢なゲリラ戦を展開し、ついには独立を勝ち取った。

しかし独立してからも苦難の道が続いた。

貧しさだけでなく、カトリック教会と政治の癒着による保守的な法律が人々を苦しめた。同性愛や人工中絶は犯罪で、避妊も離婚も禁止された。そればかりか未婚の母や婚外子を妊娠した女性は罰として修道院に監禁され、洗濯工場で死ぬまで働かされた。その数は3万人以上。しかも生まれた子どもはアメリカなどに有料で里子に出された。つまり赤ん坊を売っていたのだ。

だから1970年代初めまで、アイルランドは道路もろくに舗装されてなかった。映画『ザ・コミットメンツ』の首都ダブリンは泥だらけの道を家畜が行き来する田舎の村のようだ。

そんなアイルランドがどうして世界で最も豊かな国になったのか？　以下次号！

「虐待された子ども」アイルランドの痛みに自分の痛みを重ねたシネイド・オコナー

2023年8月17・24日号

ヨーロッパ最貧国だったアイルランドがなぜ現在、1人あたりGDP世界第3位の豊かな国になったのか？という話の続き。

前回書いた通り、筆者はパスポートを盗まれてアイルランドから動けなくなったので、時間を持て余して、首都ダブリンから第二の都市コークへのバスツアーに参加した。走っている間、運転手兼ガイドのアレックスがこんな話をした。

「オッケー、1840年代のいわゆる『ポテト飢饉』について話そう。でも実際は飢饉なんてなかった。ジャガイモはアイルランド人の主食だったけど、ジャガイモが病気で死んでも、他に肉や野菜や魚もあった。でも、当時アイルランドを支配していた英国はそれを奪って英国に送ったんだ」

後で気づいたのだが、アレックスの言葉はアイルランドの女性歌手シネイド・オコナーが１９９４年にラップした「飢饉」の歌詞の引用だった。

「飢饉」でオコナーは、「ポテト飢饉の間に人口８００万だったアイルランドはその8分の1以上が死に、海外に脱出しました。そのトラウマでアイルランド人は英国から独立した後も酒やドラッグに溺れ、子どもを虐待し、北アイルランドの内戦で殺し合ってるんです」と歌った。

「私たち（アイルランド人）は虐待された子どもなんです」

そう歌うオコナー自身がそうだった。

１９６６年ダブリンに生まれたオコナーは幼い頃に両親が別居して母親に引き取られたが、母はオコナーを性的に虐待した。オコナーは父の元に逃げ込んだが、中学生になると万引きや不登校を繰り返す彼女を父はマグダレン修道院に入れた。そこは未婚の母を監禁して強制労働させる過酷な矯正所だった。当時のアイルランドはカトリックの価値観に縛られ、中絶も避妊も、離婚すら許されなかった。

アイルランドをカトリックから解放したのは１９９０年にアイルランドで初の女性大統領になったメアリー・ロビンソンだった。彼女は離婚も避妊も同性愛も合法化した。マグダレン修道院は閉鎖された。解き放たれたアイルランドは急激に発展した。90年代後半、ＧＤＰは年平均約9％で上昇した。その獰猛なほどの経済成長はケルティック・タイガーと呼ばれた（アイルランドに虎はいないけど）。

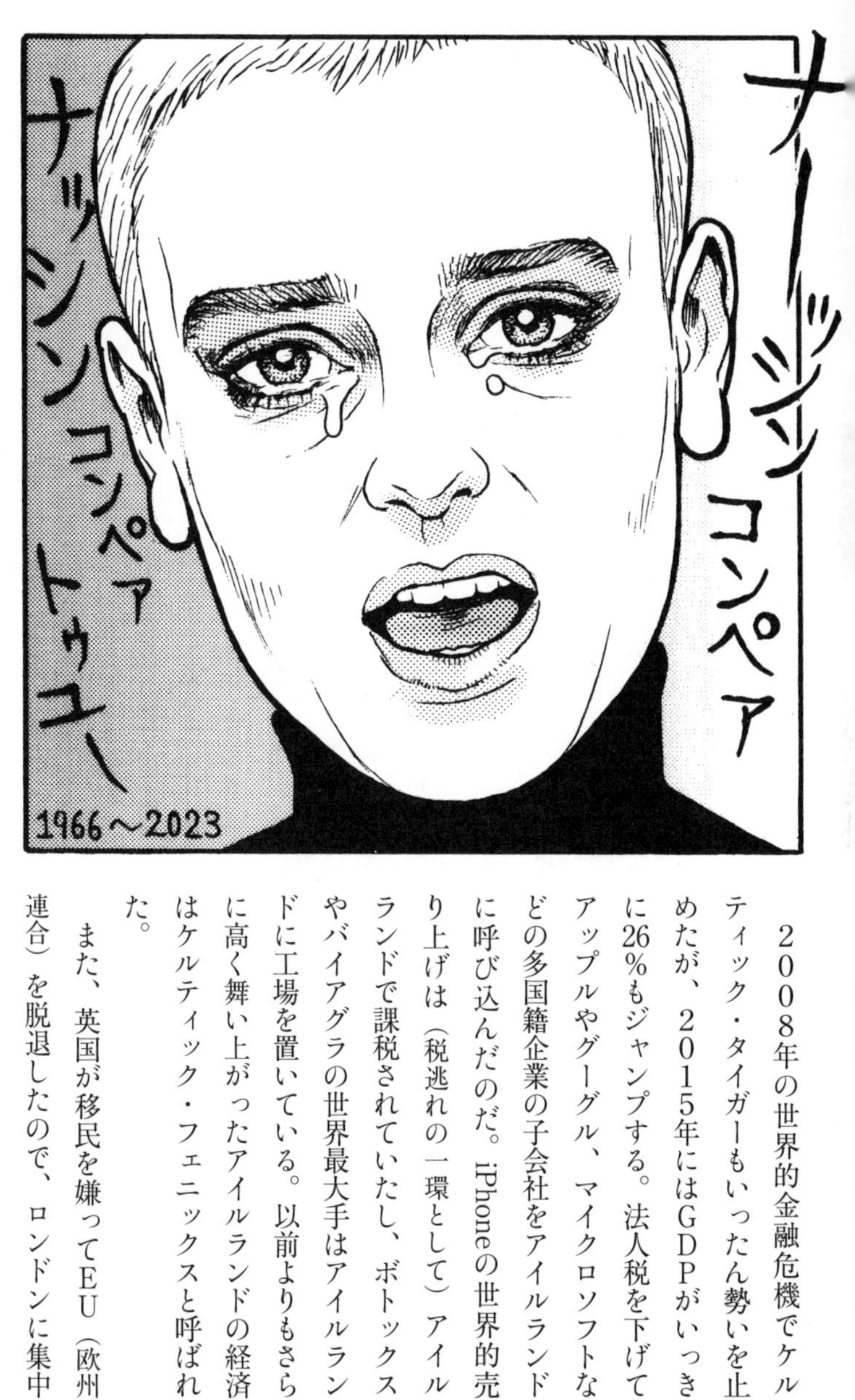

２００８年の世界的金融危機でケルティック・タイガーもいったん勢いを止めたが、２０１５年にはＧＤＰがいっきに26％もジャンプする。法人税を下げてアップルやグーグル、マイクロソフトなどの多国籍企業の子会社をアイルランドに呼び込んだのだ。iPhoneの世界的売り上げは（税逃れの一環として）アイルランドで課税されていたし、ボトックスやバイアグラの世界最大手はアイルランドに工場を置いている。以前よりもさらに高く舞い上がったアイルランドの経済はケルティック・フェニックスと呼ばれた。

また、英国が移民を嫌ってＥＵ（欧州連合）を脱退したので、ロンドンに集中していた世界の金融や保険企業がダブリンに移った。ＥＵを抜けた英国の経済は低迷し、現在、国民１人あたりＧＤＰはかつての植民地アイルランドの半分。アイルランドはポテト飢饉のトラウマを克服したのだ。

だが、シネイド・オコナーはそうではなかった。

１９９０年、プリンス作曲の「愛の哀しみ」を歌って大ヒットした。ＭＶで、オコナーは彫刻のように端正な顔に丸く刈り上げた頭、アイルランドの伝統的な歌唱法で切々と歌い上げる。その大きな目から涙がこぼれるのは、彼女が18歳の時に交通事故で死んだ母を想ったからだという。

「愛の哀しみ」を収録したアルバム『蒼い囁き』は全世界で７００万枚も売れた。これでスーパースターになったオコナーだが、１９９２年、アメリカのテレビの生出演で大事件を起こす。当時のバチカンの教皇ヨハネ・パウロ２世の写真を引き裂いて見せて、「本当の敵と戦え！」と言ったのだ。カトリック神父による子どもへの性的虐待に対する抗議だったが、それで世界に13億人いるカトリックを敵に回してしまった。当時、被害者の告発を信者の多くは信じていなかったのだ。

☆　彼女は正しかった　☆

コンサートでブーイングされ、ＣＤの売り上げは下がり、テレビやラジオも彼女を敬遠した。オコナーは孤立したが、過激な発言をやめなかった。

2007年、オコナーはテレビで双極性障害だと告白した。「遺伝的なものではなく、私が経験した暴力のせいです」と彼女は語った。

幼い頃から辛い人生ではあったが、教皇の写真を破いた時、世間がもっと彼女に味方していたら、ここまで追い詰められはしなかっただろう。その後、バチカンは司祭による児童の性的虐待は事実だと認めた。しかも、全世界で4000人を超える聖職者が1万を超える未成年の信者に性的行為を強制していたと報じられた。

シネイド・オコナーは正しかったのだ。

「バチカンは悪魔の巣」とまで言ったオコナーは、2018年、ローマ教皇に「破門証明書をください」という公開書簡を出して、なんとイスラム教に改宗した。

そして2023年7月26日、シネイド・オコナーが亡くなったと発表された。死因はまだ公表されていないが、2022年に17歳の息子シェーンが自殺して以来、何度も自殺願望を訴えていた。

バスツアーの帰り、アレックスは「皆さんの好きなアイルランド人の歌を書いてくれれば流しますよ」と言って乗客に紙とペンを回した。自分は「愛の哀しみ」と書いた。それを車内に流しながらアレックスは言った。

「シネイド・オコナーに何があろうと、アイルランドは彼女を愛しています」

［初出］
「町山智浩の言霊ＵＳＡ」
週刊文春　２０２２年９月８日号～２０２３年８月17・24日号

町山智浩（まちやまともひろ）

1962年東京生まれ。早稲田大学法学部卒業。編集者として雑誌『映画秘宝』を創刊した後に渡米。コラムニスト、映画評論家として多数の連載を持つ。WOWOWオンライン「町山智浩の映画塾！」、TBSラジオ「こねくと」、BS朝日「町山智浩のアメリカの今を知るTV」にレギュラー出演。主な著書に『アメリカがカルトに乗っ取られた！　中絶禁止、銃は野放し、暴走する政教分離』（文藝春秋）、『教科書に載ってないUSA語録』（文春文庫）、『さらば白人国家アメリカ』（講談社）、『〈映画の見方〉がわかる本　ブレードランナーの未来世紀』（新潮文庫）、『それでも映画は「格差」を描く』（集英社インターナショナル新書）など多数。

ゾンビ化するアメリカ

時代に逆行する最高裁、州法、そして大統領選

二〇二三年十一月十日　第一刷発行

著者　町山智浩

発行者　大松芳男

発行所　株式会社　文藝春秋

〒一〇二 - 八〇〇八
東京都千代田区紀尾井町三 - 二三
電話　〇三 - 三二六五 - 一二一一（代）

印刷・製本　TOPPAN

ISBN978-4-16-391770-2